Histoire commune

Daniel Legrand, père et fils
avec Youki Vattier

Histoire commune

Stock

ISBN 978-2-234-06148-4

À Nadine, mère et épouse,
à mes petits-enfants,
à Cathy.

Outreau, c'est comme une locomotive. Je l'ai vue arriver, s'approcher de plus en plus près, foncer sur moi. Et je ne pouvais rien faire. J'avais beau crier, comme dans les cauchemars, crier tout ce que je pouvais, que j'étais innocent, qu'ils se trompaient, que jamais j'aurais pu faire « ça » à un gosse, personne ne m'entendait.

Et la locomotive m'est passée dessus. Pendant deux ans, sept mois et dix-huit jours.

Cette histoire de fous est derrière moi. Depuis, il y a eu le procès, l'acquittement, la liberté. L'honneur retrouvé. Et j'ai repris mon boulot d'ouvrier. Parfois le soir, quand je rentre de l'usine, je vois Daniel allongé sur le canapé, les yeux dans le vide, écrasé, complètement cassé. Alors, la nuit, ça continue de me travailler, de me trotter dans la tête : la locomotive lui est aussi passée en travers du corps, et pour lui non plus je n'ai rien pu faire. On s'est retrouvés tous les deux en détention, à se demander quoi, à se taper la tête contre les murs, pendant des mois et des mois, chacun de son côté et loin l'un de l'autre. Sauf que, lui, c'était un gamin, et qu'il n'avait pas le crâne aussi dur que le mien. Je le savais, si bien qu'en prison je pensais à lui tous les jours, du matin au soir, à m'inquiéter de ce qu'il pourrait lui arriver derrière les barreaux, à m'en retourner les sangs. Aujourd'hui, il a été acquitté, mais au fond je me demande s'il n'est pas resté coincé dans sa cellule, tout seul.

Raconter notre histoire, la raconter ensemble, c'est une façon d'être avec lui. Pour lui. Qu'en témoignant il se libère des derniers cauchemars qui lui pourrissent encore la tête, moi, c'est tout ce que je demande. Et quand il ira mieux, j'irai mieux aussi. Parce que je suis son père.

Je m'appelle Daniel Legrand.

Jamais je n'oublierai ce jour-là. Imaginez, l'équipe de Franck Ribéry, battue 2 à 1 ! Lui était attaquant, moi défenseur pour l'équipe adverse. J'étais en pleine forme, je ne laissais passer aucun de ses dribbles, je courais, je planais, j'étais heureux. Le football, à l'époque, c'était ma vie. J'étais connu dans la région boulonnaise pour être plutôt bon et je ne rêvais que d'une seule chose : passer professionnel. Depuis tout petit, je disais à mes parents : un jour, je ferai des grands matchs, vous verrez, vous serez fiers de moi quand je passerai à la télé !

La télé, mon nom dans les journaux, les insultes, les crachats, les pleurs et les bagarres en prison : l'affaire d'Outreau est venue me chercher. Quelques mois après la victoire contre Ribéry ; j'avais vingt ans.

L'acquittement n'efface pas tout. Aujourd'hui, c'est la musique à fond dans ma chambre, pendant des heures ; les traitements et les médicaments, qui m'abrutissent ; un moment, il y a eu la drogue aussi. J'ai tout essayé, mais ils me reviennent quand même dans la tête... mes mensonges. Le jour de mon arrestation, et tous ceux qui ont suivi, ce qui me tombait dessus était tellement incompréhensible, tellement absurde que j'ai cru que j'allais devenir fou. J'ai craqué. J'ai fini par dire ce qu'ils voulaient entendre. J'ai avoué que j'avais fait « ça » aux enfants. Même si je comprenais à peine ce que « ça » voulait dire... Dans l'horreur, j'en ai même rajouté : j'ai inventé le meurtre d'une petite fille. Et l'affaire d'Outreau a basculé.

La honte, j'évite d'y penser, mais elle est là. La honte d'avoir baissé les bras, la honte de m'être accusé de choses que je n'avais pas faites, et surtout d'avoir accusé d'autres innocents comme moi. Jamais je n'oublierai mes mensonges. Pourtant, sans eux, je me dis que l'affaire n'aurait pas eu ce retentissement-là. Et si ça se trouve, nous serions encore tous en prison. Enfin je ne sais pas. Peut-être...

Mon père ne m'en veut pas d'avoir craqué. Je ne crois pas en tout cas, on n'en a jamais vraiment parlé. Quand j'étais en cellule, tout le temps, je pensais à lui. Tout le temps, je lui écrivais que je l'aimais. C'était révoltant d'être là, mais ça l'était encore plus pour lui, que j'ai toujours connu à trimer chaque jour de la semaine, à ramer pour joindre les deux bouts, sans jamais se plaindre. Mes quatre frères et sœurs, ma mère aussi, on était fiers de lui. Je me doutais qu'il tiendrait le choc, je savais qu'il était costaud, mon père. Il n'a pas baissé les bras comme moi. Enfin, j'ai fait du mieux que j'ai pu. C'est ça que je voudrais lui dire. C'est ça que je voudrais vraiment que les gens comprennent. J'ai dérapé, mais quand même : j'ai fait du mieux que j'ai pu.

Moi aussi, je m'appelle Daniel Legrand.

Parce qu'ils portent le même nom, le même prénom, Daniel Legrand père et Daniel Legrand fils sont entrés, le même jour, dans un délire collectif.

Au matin du 14 novembre 2001, les officiers du SRPJ de Lille viennent les arrêter.

Ils sont soupçonnés de corruption, d'agressions sexuelles et de viols sur mineurs de quinze ans.

Daniel Legrand PÈRE
14 novembre 2001

« Il est 7 h 55, vous êtes placé en garde à vue. »

Ils me saisissent les bras, un cliquetis métallique, ça pince dans les poignets. Ils sont quatre autour de moi, peut-être cinq, je n'ai pas eu le temps de compter. Je ne vois qu'une seule chose : on est en train de me passer les menottes.

Deux minutes plus tôt, j'arrivais sur le parking des établissements Roger Delattre, dans la zone industrielle de Boulogne-sur-Mer. J'étais un peu en retard : l'heure de l'embauche, c'est 7 h 45. Alors vite fait, j'ai garé l'auto, fermé la portière, attrapé sur la banquette ma sacoche de travail avec, à l'intérieur, de quoi tenir la journée sur le chantier : ma gamelle, un dessert, de l'eau et un sandwich, comme d'habitude. Au fond du parking, les copains étaient déjà en train de charger les barreaudages en bois dans le camion. Depuis plusieurs jours, on travaille sur une maison de concierge située à Wimereux, à dix minutes de là ; l'escalier est déjà posé, aujourd'hui il reste le garde-corps à monter. Les établissements Delattre font de la construction, ça fait plus de trente ans que je suis ouvrier chez eux : serrurier au début, poseur métallier aujourd'hui. Le père Delattre, je le connaissais bien ; maintenant, c'est son fils qui a repris, Reinold. Je n'ai jamais eu de problèmes avec eux : je fais mon travail, je ne refuse pas les heures supplémentaires, au contraire ; et quand on me demande de déplacer mes vacances, je le fais. Le seul hic, c'est que j'ai souvent quelques minutes de retard le matin. Ce mercredi-là aussi.

Au moment où j'allais quitter la voiture pour aller donner un coup de main aux collègues, des hommes se sont ramenés brusquement vers moi. « Vous êtes Daniel Legrand ? » Je ne les connaissais pas, mais je me suis dit que ce devait être des sous-traitants ; ce n'est pas rare d'avoir recours à eux sur certaines missions, ceux-là voulaient peut-être savoir où se trouvait le chantier. « Oui, c'est moi. » Sitôt répondu, c'est parti : bousculade, menottes, brassards orange, tout le cirque. Et on n'oublie pas de me dire qu'il est 7 h 55...

Au fond du parking, les gars arrêtent de charger le camion. Ils regardent. Pareil pour tous les collègues en train de s'habiller dans les vestiaires, en face. Ils passent la tête par les fenêtres. Je me sens bête. C'est horrible. J'entends une voix : « Regardez, Daniel ! Il est en train de se faire agresser ! » Le sang me monte à la face. Je suis entravé, mais je veux me retourner, parce qu'il y a Benoît qui vient d'arriver avec sa voiture, le petit jeune avec qui je fais équipe sur le chantier, je ne sais pas pourquoi, je veux le voir, je veux le regarder. « Qu'est-ce qu'il se passe ? » Mais les policiers me bloquent, je peux à peine tourner la tête vers lui. Alors ça me prend aux tripes : je me débats, je pousse, je veux me dégager, qu'ils me lâchent tout de suite ! Je ne suis pas trop du genre à me laisser faire : pas bavard, pas très baraqué non plus, sec et nerveux. Mais les types sont costauds. « Qu'est-ce qu'il se passe donc ? Vous m'accusez de vol ou quoi ? » Si ça se trouve, il y a eu un vol sur le chantier, ça arrive parfois, et ils auraient retrouvé du matériel dans notre camion ? Les policiers me répondent que non, que je ne suis pas accusé de vol. Et ils m'entraînent vers mon auto. « Pas de vol ? De meurtre alors ? J'aurais tué quelqu'un ? – Non, pire ! »

Pire ? Qu'est-ce qu'il peut bien y avoir de pire qu'un meurtre ?

On me demande d'ouvrir le coffre de ma voiture. Mais ils m'ont menotté, donc un des policiers essaie de lui-même. Inutile : je lui dis que le coffre est cassé. Alors il passe par l'arrière, il démonte les banquettes, il fouille. « Qu'est-ce que vous cherchez ? » Pas de réponse. Je vais finir par être franchement en retard, mon chef va être furieux. Le policier ne trouve rien. Évidemment. Une vieille Citroën AX en ruine, cent quarante mille kilomètres au compteur, même le moteur ne vaut pas un clou, je l'ai changé après avoir écumé la région entière pour finalement en trouver un d'occasion, à la casse de Calais. Pas les moyens d'acheter du neuf. Mais qu'est-ce qu'ils cherchent, bon sang, et qu'est-ce qu'il se passe ? Du coin de l'œil, je vois mon patron sortir du bâtiment administratif. Un policier me demande où se trouve mon fils Daniel. Comment ça, Daniel ? Je leur réponds que, à cette heure-ci, il est sûrement chez ma fille Daisy, je sais que c'est là qu'il a passé la nuit. Ils m'annoncent qu'on part le chercher. « C'est pas possible ! Attendez, moi je veux voir mon patron ! » Il est à cinquante mètres, je me dirige vers lui. C'est long cinquante mètres quand on a l'air d'un con, les menottes au bout des bras. « Je sais pas ce qui m'arrive, Reinold, je sais pas ce qui m'arrive... » Il me regarde en ayant l'air de se demander quoi. Tout le parking aussi.

Les policiers m'embarquent.

Dans la voiture, je n'arrive pas à penser normalement. Je suis comme un ignorant, tout ce que je veux, c'est savoir, comprendre, surtout qu'on ne me laisse pas comme ça. Je guide le chauffeur jusque chez Daisy, elle habite Wimereux, à dix minutes de l'usine. Pire qu'un meurtre ? Et qu'est-ce qu'ils veulent à Daniel ? Le gamin aurait fait une autre connerie ? Il semblait avoir compris la leçon pourtant : c'était il y a deux ans, il pleurait comme un enfant en jurant qu'il ne le ferait plus jamais. Que c'était la première et la dernière fois. Depuis, d'ailleurs, il n'y a plus eu de problèmes.

Rue Carnot déjà. Ma fille a décidé de quitter cet appartement, Daniel l'aide à déménager depuis plusieurs jours. Cette nuit, il a dormi là pendant que sa sœur s'installait dans son nouveau deux-pièces. Nous descendons de voiture, les gens partent au travail, si seulement je pouvais cacher ces menottes. Mais je n'y arrive pas. Les policiers me demandent s'il y a une sortie de secours dans l'immeuble, je m'énerve en disant que non, que de toute façon c'est à l'étage et que j'aimerais quand même bien savoir pourquoi on m'arrête. On grimpe les escaliers. Deuxième étage face. Sans sonner, sans frapper, on s'engouffre tous dans l'appartement : la porte n'est pas fermée à clé...

Daniel Legrand FILS
14 novembre 2001

Hier soir, mardi, quand je me suis couché, j'étais mort ! En fin d'après-midi, j'avais fait une marée de moules jusqu'à la nuit tombée. En plein mois de novembre, il faisait froid, avec un petit vent bien cinglant qui sifflait aux oreilles. Mais, à la fin de la cueillette, j'étais en sueur. Arracher les moules à la cuillère, remplir les sacs et surtout, remonter la falaise avec plus de cent kilos sur le dos à chaque fois, redescendre, remonter : pire qu'un entraînement de foot ! Mais j'aime bien les marées de moules : l'odeur de la mer, la plage de Wimereux à marée basse, le petit bruit des cuillères contre la roche... Ça me permet aussi de gagner un peu d'argent, parce que je ne ramène pas de salaire fixe à la maison. J'ai arrêté les cours à seize ans, en troisième : je n'étais pas très doué ! Depuis, à part quelques stages ou formations, je n'ai jamais vraiment trouvé de travail. Enfin, il y a le football... C'est ma fierté. Et ça, un jour, ça paiera : j'y crois dur comme fer.

Après la marée, je suis rapidement passé voir ma sœur Daisy et mes deux neveux dans leur nouvel appartement. Elle m'a prêté une cafetière, donné quelques bricoles pour manger, et je suis retourné dormir dans le logement qu'elle est en train de quitter, rue Carnot. Le loyer est payé jusqu'à la fin du mois, je vais donc pouvoir rester là encore une quinzaine de jours. Ce n'est pas plus mal parce que, ces temps-ci, on est un peu les uns sur les autres.

Il y a un an, en 2000, mes parents ont perdu la maison qu'ils avaient achetée : ils ne pouvaient plus payer les traites. La société immobilière qui, il y a vingt ans, leur a vendu le pavillon réclamait des sommes beaucoup plus élevées par rapport à ce qui avait été annoncé au départ. Or, le salaire de mon père n'augmentait pas beaucoup, et quant à elles, les allocations familiales diminuaient : Daisy, d'abord, mon autre sœur aînée Peggy, ensuite, avaient quitté la maison pour s'installer en couple. Moi et mes deux frères cadets, Frédéric et Grégory, nous étions encore à la charge de nos parents. Bref, la galère. Alors un jour, les parents nous ont annoncé : « Les enfants, il vaut mieux garder l'assiette et perdre la maison. » Le 13 septembre 2000, nous nous sommes retrouvés à la rue.

En attendant d'obtenir un logement social, on se débrouille, on se serre un peu : les uns dorment chez Peggy, les autres chez ma tante Laurence ou parfois chez Daisy. Donc lorsque celle-ci a déménagé, j'ai été bien content de pouvoir occuper son ancien logement : ça faisait un peu d'air aux autres.

Ce mardi soir, en rentrant à l'appartement, j'ai installé mon duvet par terre, dans le salon, à même le sol :

il n'y avait pratiquement plus de meubles. J'avais fort mal aux épaules, mais je me sentais bien. C'était calme. J'ai grignoté quelques biscuits. Et je me suis endormi sans demander mon reste.

Demain, marée de moules !

J'ouvre les yeux. Il y a des hommes autour de moi qui me parlent. C'est le matin, la lumière du jour passe par les fenêtres. Je me redresse un peu, ça me lance dans les épaules. J'entends : « On est de la police. » Je ne comprends pas, je les regarde sans réaliser, je dis : « Mais qu'est-ce qu'il se passe ? » Et là, je vois mon père. Et à ce moment précis, je comprends que quelque chose de grave est arrivé : je ne l'ai jamais vu comme ça.

Il est blanc, décomposé, avec un air que je ne lui connais pas, un air perdu, paumé, complètement K-O. On dirait que ce n'est pas lui. Il me regarde, les bras devant lui. Et je finis par voir : des menottes... mon père... Je lui souffle : « Il se passe quoi, pa ? – Je sais pas, fils ! Je suis comme toi, je me le demande ! J'ai dit à mon chef que je ne savais pas ce qui m'arrivait... » Un des hommes lui coupe la parole et lui interdit de me parler. À moi, il m'ordonne de me lever et de m'habiller. Il insiste en disant : « Et je te conseille de bien te couvrir. » Je me lève. Il ajoute que je suis en garde à vue. Et qu'il est 8 h 25...

J'enfile mon jean, un sweater, un blouson. Pourquoi bien me couvrir ? 8 h 25 ? Pourquoi mon père est arrêté ? Qu'est-ce qu'il fait là ? Sa place devrait être au boulot, je l'ai toujours connu au boulot, mon père.

Dès que je suis prêt, un des hommes s'approche de moi. Aussitôt, je me retrouve les menottes aux poignets. C'est rapide, très rapide – clac –, mais c'est étrange comme ce geste-là s'imprime lentement en moi, comme au ralenti. Je jette un coup d'œil vers mon père : lui aussi me regarde. Nous voilà tous les deux, au milieu de ce salon sans meubles, entravés, assommés.

Les policiers se mettent à fouiller l'appartement. Je leur demande ce qu'il se passe, je leur montre tous les placards pour leur prouver ma bonne foi. Je leur assure que nous n'avons rien à cacher ici. D'ailleurs, ils ne trouvent pour ainsi dire pas grand-chose, juste quelques jouets qui restent encore dans des sacs. Et déjà, ils sont à la porte d'entrée. Ils l'ouvrent. Et ils nous entraînent dehors.

J'ai tout juste le temps d'attraper mon tabac sur une étagère.

Rapidement, nous descendons les escaliers pour rejoindre la rue. Soudain, je pense à Ambleteuse. C'était il y a deux ans, en septembre 1999. Ambleteuse, à un quart d'heure de Boulogne : je m'y promenais avec un copain d'enfance, et sur un parking, comme ça, par terre, nous avons trouvé un chéquier et un passeport. On les a pris. En quelques chèques, nous nous sommes acheté des vêtements, payé un déjeuner chez McDo et nous avons mis de l'essence dans la voiture du copain. On s'est dit que le dernier « achat » qu'on allait faire, c'était un pot d'échappement pour son auto. Pour ça, on est partis en Belgique. Et on s'est fait arrêter par la police. Ils nous ont interrogés puis relâchés immédiatement. Mais j'ai dû rentrer chez moi en caleçon et en chaussettes : il a fallu rendre les vêtements... Arrivé à la maison, je suis monté à toute vitesse dans ma chambre, et j'ai pleuré tout ce que je pouvais. Je m'en voulais d'avoir fait une telle bêtise. Ma mère m'a dit que ça me servirait de leçon, mon père m'a passé un savon.

Deux ans après, est-ce possible que cette histoire revienne sur le tapis ? Arrivés en bas de l'immeuble, je demande à un policier : « Mais vous m'arrêtez pour quoi alors ? Pour vol ? » Il ricane. Il ouvre la portière d'une voiture. « Non, pas pour vol. »

Il ajoute : « Il y a un *i* entre le v et le o. »

Un *i* entre le v et le o... Je crie : « Hein ? N'importe quoi ! » On m'assied sur la banquette arrière. Un policier prend place à côté de moi, deux autres montent à l'avant. Mon père est embarqué dans un autre véhicule. Viol ? Ce mot me percute, il m'arrache le cœur. Viol... Comment aurais-je pu violer ? Je ne fréquente pas les filles, je suis timide, pas doué pour aller leur parler. Moi, à part le foot... « Viol, mais viol de qui ? J'ai violé qui ? Qui est-ce que j'aurais bien pu violer ? Quelle personne ? » La voiture démarre. Le policier assis à l'avant se tourne vers moi : « Viol sur mineurs de quinze ans. » Et il m'ordonne de me taire.

Je regarde les rues qui défilent par la vitre de la voiture. C'est immonde. Nous passons dans un quartier de Wimereux que je connais bien, j'y ai passé toute mon enfance. Le stress me monte à la gorge, l'angoisse me prend. C'est *immonde*, je ne trouve pas d'autre mot. Et mon père ? Il serait accusé de ça aussi ? Depuis plus de trente ans, tous les matins, il prend ce même chemin pour aller travailler. Est-ce qu'il sait pour les viols, est-ce qu'ils le lui ont dit ? Je n'arrête pas de penser à lui, je veux le voir. Et ma mère, est-ce qu'ils l'ont prévenue, comment ça se passe dans ces cas-là ? Je continue de parler aux policiers, je les abrutis de questions. Ils ne prennent même plus la peine de me répondre. Je parle dans le vide. Je les entends dire que nous allons au commissariat de Calais. « Vous pouvez dire tout ce que vous voulez, j'ai rien fait ! » Ma tête aussi tourne dans le vide. « Moi, j'ai violé personne ! Vous dites n'importe quoi... » Nous arrivons sur la côte. Il fait beau, la marée est encore haute. Dans une dizaine d'heures, il sera temps d'aller cueillir les moules. Mes épaules me font encore mal, les menottes aussi : ils me les ont attachées par-derrière, au cas où il me prendrait l'envie de vouloir étrangler le chauffeur.

Je me dis que, puisque je n'ai rien fait, alors forcément je vais m'en sortir. Forcément.

Daniel Legrand PÈRE
De Boulogne-sur-Mer à Calais
14 novembre 2001

Trois quarts d'heure de route, les bras tordus dans le dos, à moitié assis sur les mains à cause des menottes, à me demander dans quel cauchemar on m'a jeté. Quand j'arrive au commissariat de Calais, je suis cassé.

Un planton nous accueille, il me demande d'où je viens, je réponds de Boulogne-sur-Mer. Il a l'air étonné : « Alors pourquoi on vous a amené à Calais ? Il n'y a pas de place au commissariat de Boulogne ? »

Je réponds : « Mais je sais pas, moi ! »

Non, ce mercredi 14 novembre 2001, il n'y a pas de place au commissariat de Boulogne-sur-Mer. Les voitures sortent, rentrent et repartent, les ordinateurs enchaînent les procès-verbaux, les portes des cellules claquent.

Au petit matin, huit personnes ont été interpellées. Les deux Legrand ; un huissier de justice, Alain Marécaux ; sa femme infirmière scolaire, Odile ; Dominique Wiel, un prêtre-ouvrier ; Pierre Martel, un chauffeur de taxi. Ainsi qu'un libraire et un gérant de sex-shop, lesquels seront finalement relâchés. Tous les autres resteront en garde à vue.

Ces hommes et cette femme sont accusés, au même titre que les Legrand, de viols sur mineurs de quinze ans. Ils feraient partie d'un réseau de pédophilie dont les ramifications s'étendraient jusqu'en Belgique.

Tous, à leur arrestation, ont manifesté la même stupeur.

Quelques mois auparavant, dix autres personnes étaient incarcérées pour la même affaire. Sept juraient, et jurent encore, n'avoir jamais touché un enfant. Trois avouaient leur culpabilité : Aurélie Grenon ; son compagnon, David Delplanque ; et Myriam Badaoui, épouse Delay[1].

Myriam Badaoui a quatre fils, à l'origine du déclenchement de l'affaire : Charly, Vladimir, Nolan et Brandon[2]. Dix, sept, cinq et trois ans. À la fin de l'année 2000, ils dénonçaient les sévices sexuels dont ils faisaient l'objet de la part de leurs parents : Myriam Badaoui, leur mère, et Thierry Delay, leur père. Le couple, qui vivait à Outreau, dans la cité de la Tour du Renard, au cinquième étage de l'immeuble des Merles, était donc arrêté. Le père niait en bloc. La mère allait finir par avouer.

Les quatre petits garçons confiaient ensuite que d'autres enfants, nombreux, avaient subi des viols, et que d'autres adultes participaient à ces agressions sexuelles, en échange de sommes d'argent versées à leur père. Il s'agissait de leurs voisins pour la plupart, de connaissances en tout cas : Aurélie Grenon, David Delplanque, Thierry Dausque, Karine Duchochois, Roselyne Godard, François Mourmand, Sandrine Lavier, Franck Lavier...

Tous étaient arrêtés. Seuls Aurélie Grenon et David Delplanque passaient aux aveux.

Aurélie Grenon, David Delplanque et Myriam Badaoui allaient désormais parler d'une seule voix :

1. Myriam Badaoui-Delay, que nous appellerons désormais Myriam Badaoui.

2. Afin de protéger leur identité, les prénoms des enfants ont été volontairement modifiés.

certes, ils se reconnaissaient coupables des faits reprochés mais, selon eux, les sept qui s'acharnaient depuis des mois à clamer leur innocence l'étaient aussi.

Alors que l'instruction tentait de démêler le vrai du faux, les enfants continuaient sur leur lancée. À nouveau, ils dénonçaient d'autres adultes : ceux qui allaient être arrêtés le 14 novembre 2001. Avant que ne soit envisagée l'interpellation de ces derniers, Myriam Badaoui, Aurélie Grenon et David Delplanque étaient interrogés : confirmaient-ils que ces nouveaux suspects avaient violé les petits Delay et les autres enfants ?

La réponse fut unanime : oui.

Myriam Badaoui apportait même un éclairage nouveau à l'affaire en élargissant le champ des horreurs : tous ces hommes et ces femmes, déjà interpellés ou en passe de l'être, feraient partie d'un réseau international de pédophilie avec, pour centre névralgique, une ferme en Belgique.

Et elle précisait : parmi les dernières personnes dénoncées par ses fils, un homme s'avère d'une extrême violence. Chef du réseau dont il est la tête pensante, organisateur de tournages pédophiles, propriétaire de la ferme belge où il organise des parties zoophiles, il bat, viole et brûle avec des cigarettes lorsqu'il n'obtient pas ce qu'il veut.

Il s'appelle Daniel Legrand. Mais on le surnomme Dany.

Daniel Legrand FILS
Commissariat de police de Calais
14 novembre 2001

« Allez, dis-le, mais dis-le que tu t'appelles Dany ! » Les policiers interpellent mon père, deux fois, trois fois. Il proteste, eux continuent : « Dany, c'est ton surnom, pas vrai ? »

Depuis une heure, nous sommes assis dans le hall du commissariat de Calais et nous attendons. Je ne sais pas quoi d'ailleurs : on ne nous explique rien. Il y a une rangée d'une quinzaine de chaises, mon père est à une extrémité, moi à l'autre. Dany ?! Je veux prendre sa défense, j'ai de la peine en le voyant avec sa sacoche de travail sur le dos. Je me lève : « Vous dites n'importe quoi ! Personne ne l'a jamais appelé Dany, mon père. » Les policiers se tournent vers moi et m'ordonnent de me taire sur-le-champ. Un homme en costume passe devant nous. Il a l'air important : tout le monde le salue. Sûrement le directeur du commissariat. Il nous regarde. Jamais je n'oublierai l'expression dans ses yeux : il nous a regardés comme des bêtes.

J'ai les jambes coupées. Je suis fort blessé, humilié jusqu'à la moelle. Ce regard-là, c'est un coup de massue. Des bêtes... Et soudain, je me sens épuisé. La marée de moules d'hier, et puis tout ça... Épuisé de me demander ce qui va m'arriver, de penser à ce qui va se passer. J'ai envie de pleurer, mais rien ne sort, rien. Je suis paralysé.

Daniel Legrand PÈRE
Commissariat de police de Calais
14 novembre 2001

Un policier vient me chercher, je me lève, je dois quitter le fils tout ramassé sur sa chaise, je ne peux même pas lui dire un petit mot histoire de le réconforter, c'est interdit. On m'emmène dans une pièce, je laisse le gamin tout seul derrière moi.

« Vous allez enfin me dire pourquoi on est là ? Je sais plus comment il faut vous le dire : j'ai mon patron qui m'attend ! » Un flic m'enlève les menottes, un autre sort ses papiers. Celui qui est assis juste en face de moi me regarde : « Bon, voilà monsieur Legrand : vous êtes accusé de viols sur mineurs. »

« Attendez... » J'ai cru que j'allais leur foncer dedans. « Viol ? Mais qu'est-ce qu'il se passe, là ? Attention, je deviens fou ! Je plane, là ! Je plane à quinze mille ! » Le flic ouvre un dossier. « Si si, monsieur Legrand. Vous êtes bien accusé de viols sur mineurs. »

Je suis abruti, je tombe. Et le policier se met à me sortir des noms, des noms de gens que je ne connais pas. Je lui réponds que non, non je ne connais pas de Myriam Badaoui. Non, je ne connais pas de Thierry

Delay et je ne sais pas que c'est son mari. Non, je ne suis jamais allé chez eux et d'ailleurs, je ne sais même pas où habitent ces gens. David Delplanque, Aurélie Grenon, pareil : qui c'est ? Oui, c'est vrai, j'ai travaillé à Outreau et à la Tour du Renard. J'ai posé des balcons là-bas, mais toutes ces personnes dont je ne me rappelle déjà plus les noms parce que je ne les connais pas, eh bien non, je ne les ai jamais rencontrées. Je faisais mon travail, point final !

Le policier continue : « Est-ce que vous avez une adresse en Belgique ? » La Belgique ? Ça fait près de quarante ans que je n'y suis pas allé, je vivais encore chez mes parents, on allait visiter une tante qui habitait là-bas. Quel rapport, la Belgique ? Le policier ne répond pas : « On vous surnomme Dany, c'est ça ? » Je dis : « Mais combien de fois il faudra que je vous le dise, je n'ai pas le surnom de Dany ! » Le type regarde ses papiers : « Pourtant, c'est marqué là : Dany Legrand. » Je m'étrangle : « Oui, eh bien, écoutez ! Vous pouvez demander à ma famille : à la maison, personne ne me surnomme Dany. Vous pouvez demander à mon entreprise : on ne me surnomme pas Dany. Allez voir aussi mon voisinage : il n'y a pas de Dany chez moi, nulle part. » Et je veux hurler qu'ils n'ont qu'à demander aussi à tous les gamins qui me connaissent. Parce que, ça oui, des gamins, j'en connais ! J'ai élevé les miens, ça fait déjà cinq, et puis il y a ceux des autres : mon beau-frère et sa femme se sont tués dans un accident de voiture, j'ai pris leurs trois gosses à la maison, parce que ça aurait été une misère de les laisser finir à l'Assistance publique, et Dieu sait pourtant que la vie était déjà suffisamment compliquée avec les miens. Et puis, maintenant, il y a mes petits-enfants, cinq de plus. Alors comment c'est possible, comment peuvent-ils m'accuser de ça ? Le bien que j'ai fait à ces gamins-là, pourquoi j'aurais été le transformer pour aller faire du mal aux autres ? Et si j'avais été aussi malsain, ça se saurait quand même !

Un autre policier me dit que, pourtant, Myriam Badaoui, Aurélie Grenon et David Delplanque disent très bien me connaître, que ces personnes m'appellent Dany et qu'elles m'ont vu faire de sales trucs avec des enfants. Il continue en me demandant si je travaille dans un sex-shop... Là, ils n'auraient pas dû m'enlever les menottes. Je m'énerve à un point... Ils ne me tiennent plus tellement je m'énerve. Le type qui m'interroge gueule, alors moi je gueule encore plus fort que lui, deux ou trois flics en tenue s'amènent sur moi pour me retenir. Godemichés ? Mais c'est quoi ça ? Je sais même pas ce que c'est ! « Vous utilisiez des boules », dit le flic. Des boules, des boules de quoi ? Et de quel gel il me parle ? Moi et ma femme, on ne vit pas dans ce monde-là, les cassettes pornos, jamais, les films pornos, jamais, à la maison ça n'existe pas tout ça, on n'est pas comme ça, et moi je crie mon innocence, et je dis que j'ai rien à voir là-dedans, c'est tout, et puis c'est non partout !

On me demande si je suis droitier ou gaucher – « Droitier ! » –, et on m'attache la main au radiateur.

Dans leurs dernières accusations, Charly, Vladimir, Nolan et Brandon Delay avaient dénoncé l'« abbé Do » : le prêtre qui habitait sur le même palier qu'eux ; le taxi Martel : celui qui les emmenait avec leur mère à Auchan lorsque les allocations familiales arrivaient à la fin du mois, mais qui les conduisait aussi à la ferme belge, où des choses terribles se passaient avec les enfants, les adultes et les animaux ; Alain Marécaux et sa femme : leurs enfants étaient dans la même école qu'eux, le couple participait également à ces séances.

Et puis ils avaient parlé de « Dany Legrand qui habite en Belgique ».

Il n'avait pas été très compliqué, pour les policiers du SRPJ de Lille chargés d'enquêter sur ces nouveaux suspects, d'identifier et de localiser le prêtre, le taxi, l'huissier et sa femme : ils évoluaient dans l'entourage plus ou moins immédiat des enfants. Ce « Dany Legrand » posait en revanche plus de problèmes : à part son nom, les petits n'avaient pas su en dire davantage.

Une commission rogatoire internationale était lancée et, afin qu'ils collaborent avec leurs homologues français, les services de police belges étaient contactés.

Ces derniers allaient découvrir qu'aucun Dany Legrand n'était répertorié dans les fichiers nationaux. Les enquêteurs orientaient donc leurs recherches vers un éventuel Daniel Legrand. Ils en trouvaient huit. Mais aucun ne possédait de ferme dans les environs d'Ypres, comme l'avait précisé Myriam Badaoui. Et aucun n'avait de casier judiciaire.

Les fichiers belges mentionnaient cependant l'existence d'un certain Daniel Legrand, vingt ans, né à Boulogne-sur-Mer, domicilié à Wimereux, aux environs d'Outreau, donc. Il y a deux ans de cela, le jeune homme avait été mêlé à une affaire très rapidement classée : une petite histoire de chèques sans conséquence...

Fait troublant, les policiers belges notaient que le père du jeune homme portait les mêmes nom et prénom que son fils. Et qu'il habitait également tout près d'Outreau.

On se retrouvait avec deux Daniel Legrand sur les bras.

Le juge d'instruction chargé de l'affaire se tournait alors vers celle qui, depuis quelques mois, avait décidé de coopérer avec la justice : Myriam Badaoui. Il l'interrogeait : Daniel Legrand, le père ou bien le fils ?

La réponse ne tarda pas : les deux.

Aurélie Grenon et David Delplanque confirmaient.

Il était donc décidé d'arrêter les deux Daniel Legrand.

Ce mercredi 14 novembre 2001, pendant sa première audition de garde à vue, le fils n'était guère plus loquace que le père. Le jeune homme affirmait ne pas connaître Myriam Badaoui, ni Thierry Delay, encore moins leurs enfants. Idem pour Aurélie Grenon et David Delplanque. Par ailleurs, il s'étonnait qu'on puisse imaginer son père possédant des biens en Belgique, quand il n'arrivait déjà pas à garder son pavillon de Wimereux.

Après une heure et demie d'interrogatoire, les policiers décidaient de le laisser réfléchir un peu en cellule. Était posée la dernière question d'usage :

« Question : Avez-vous autre chose à déclarer ?

Réponse : Oui. Je ne sais pas ce que je fais là. Mon père, c'est la personne la plus honnête du monde. Il rend service à tout le monde. Sa vie, c'est sa femme, ses enfants et son boulot.

Après lecture faite par lui-même, l'intéressé persiste et signe avec nous le présent à 11 h 45. »

Daniel Legrand FILS
Commissariat de police de Calais
14 novembre 2001

Après mon audition, lorsqu'ils me font entrer dans la cellule, je comprends tout de suite pourquoi ce matin (ce matin... on dirait que c'était il y a trois cents ans) le policier m'a dit de bien me couvrir : il fait glacial là-dedans. Mais je ne sais pas si c'est le pire. Le pire, c'est peut-être l'odeur. Elle vous prend aux narines, et je ne veux même pas savoir de quoi il s'agit. Je regarde les murs, ils sont gris, ils sont sales, avec des traces de crachats séchés partout. Je regarde la dalle en béton, avec une couverture jetée dessus, elle sent mauvais aussi : elle a servi à tout le monde. Et puis je regarde la porte en face, un panneau en double vitrage que le policier a claqué derrière moi sans un mot. Des silhouettes passent de temps en temps : chaque fois, je guette celle de mon père. Mais je ne le vois jamais.

Je vous le dis : c'est triste. C'est carrément la galère.

Rien n'a de sens. Cet interrogatoire tout à l'heure, menotté à une chaise, c'était la quatrième dimension. « Viols sur mineurs de quinze ans. – N'importe quoi, moi j'ai rien fait ! – Tais-toi, on va commencer par te poser des questions... » Des noms, des noms, des viols, des viols, des photos de gens que je n'ai jamais vus. Si, il y a une personne dont j'ai entendu parler et je leur ai dit : François Mourmand. À cause de cette histoire de pavillon que nous ne pouvions plus payer, je dormais chez ma tante Laurence et un soir, elle m'avait dit que son voisin de palier, François Mourmand, avait été arrêté pour une histoire de pédophilie. J'avais répondu : « Mais c'est terrible ça ! » Et je me retrouve là, dans la même affaire que lui...

Pour le reste, je leur ai dit que je ne comprenais pas ce qu'ils me racontaient. Et que je n'avais rien à voir avec Outreau : c'est pas mon coin, moi c'est Wimereux que j'habite. Ils n'ont pas eu l'air de comprendre. À moi aussi, ils m'ont demandé : « Ton surnom, c'est Dany ? » Non, Paul Ince. C'est comme ça que les copains m'appellent, parce que mon jeu ressemble un peu au sien. Ils ne le connaissaient même pas, il a fallu que je leur explique : Paul Ince est un tacleur hors norme, un Anglais. De toute façon, ils s'en moquent, ils disent Dany, toujours Dany. Et ils promettent que, si je parle, le juge en tiendra compte. C'est là que le policier qui m'interrogeait est venu s'accroupir devant moi, il m'a regardé droit dans les yeux : « Mais fais attention... Si tu ne dis rien, le juge, il va faire ça de ta vie », et là, sous mon nez, il a claqué les mains très fort. Comme quand on écrase un moustique.

Tant pis si les policiers ne me croient pas, moi, je lui expliquerai au juge. Je lui dirai que je n'ai rien à voir avec tout ça. Je lui dirai que j'ai fait une erreur, une erreur de jeunesse avec cette histoire de chèques en Belgique. Mais c'est tout et je n'ai jamais fait de mal à personne, encore moins à des enfants. Je regarde la porte en double vitrage. Je pense à mon père. Je m'en veux tellement. Est-ce qu'il croit que je suis coupable ? Quand même pas... J'ai l'impression que c'est de ma faute si on est là tous les deux, à cause des chèques. Je ne comprends pas très bien pourquoi, d'ailleurs, tout est flou dans ma tête ; ce qui est sûr, c'est que les policiers m'en ont parlé, d'Ambleteuse. Pourvu que mon père ne m'en veuille pas. J'ai l'impression qu'il ne s'est pas laissé faire pendant son interrogatoire : depuis le bureau où j'étais interrogé, j'entendais un sacré raffut à côté et, à un moment, les policiers qui étaient avec moi sont partis précipitamment en renfort.

Je me sens seul dans cette cellule. Tout ce dont on m'accuse me résonne dans les oreilles. Viols sur mineurs de quinze ans... J'en ai vingt, comme si j'allais faire ça à un gamin qui a presque le même âge que moi ! Je leur ai dit aux policiers : « Moi ça me gêne de parler de ça, je n'ai jamais caressé une fille. » Alors, tout ce qu'ils me disent par rapport aux enfants...

J'ai faim : pas pris de petit déjeuner. J'ai froid. Je me sens misérable. Je tourne en rond, j'ai l'impression d'être un animal en cage. Qu'est-ce qu'il va nous arriver ? Ça m'a tué de voir mon père avec les menottes, déjà qu'il n'a pas eu de chance dans la vie : les fins de mois difficiles, la maison perdue, la maladie de ma mère il y a quelques mois, on était tous inquiets, on allait la voir tous les jours à l'hôpital... Tout ça à supporter. Je frappe dans la porte. Je me sens vidé, toutes ces émotions... J'ai l'impression d'être juste un sac d'os. Et puis les épaules me tirent vraiment : cette marée de moules, ça tombait mal quand même. Je tape à nouveau dans la porte. Je repense à la façon que le policier a eue de claquer ses mains devant moi : je vais finir comme ça, comme un moustique ? Je me mets à crier que je suis innocent, que je veux sortir. Personne ne vient. Je frappe encore, et de plus en plus, je me dis que ce n'est pas bien et que ça énerve peut-être tout le monde autour, mais je n'en peux plus. Je frappe, je frappe, je mets des coups de poing dans la vitre, des coups de pied, tout ce que je peux, je crie que je n'ai rien à faire là, je hurle que je suis innocent et qu'il faut qu'on me croie. Par la vitre, je vois enfin un policier arriver. Il ouvre la porte, il s'avance vers moi. Il a des gants noirs. Et il me met une gifle. Une gifle énorme. Il ferme la porte et il repart.

Je reste pétrifié. À cause de la gifle. Mais pas seulement. Je viens de réaliser de quoi je suis accusé. Parce que, pour me mettre une gifle comme ça, c'est que ça doit être vraiment grave. C'est qu'ils croient vraiment que je suis coupable. C'est que je ne vaux pas grand-chose à leurs yeux : je suis un violeur d'enfants. Sinon, on ne met pas une gifle comme ça aux gens. Je me dis qu'ils se sont tous passé le mot et qu'ils nous prennent, mon père et moi, pour des monstres.

Comme dans le regard du directeur du commissariat tout à l'heure : des bêtes.

Daniel Legrand PÈRE
Commissariat de police de Calais
14 novembre 2001

Je l'entends. On est séparés d'au moins cinq cellules. Ça fait un bruit sourd, des coups de pied ou des coups de poing contre un mur ou bien une porte, je ne sais pas, et j'entends sa voix, la voix de mon gosse : « Je suis innocent, je suis innocent ! J'ai rien fait ! » D'entendre ça, bon sang ! D'entendre crier son gamin...

Il est dans la première geôle du couloir, moi à l'autre bout, dans la dernière. Je le sais parce que en revenant d'un interrogatoire, j'ai vu les flics le mettre dans ce cachot-là. Je rumine, je tourne en rond, j'écoute – « Laissez-moi sortir, laissez-moi sortir ! » –, et ça résonne jusque dans ma cellule. Il clame son innocence, donc ils lui ont posé les mêmes questions qu'à moi. Donc ils l'accusent des mêmes choses. Ça me rend furieux. Furieux.

Mais ça me rend plus fort.

Quand ils m'ont raconté toutes ces horreurs sur moi et Daniel, je n'ai pas eu de doutes sur le gamin. C'est sûr, je ne sais pas trop ce qu'il fait de ses journées, vu que moi je suis toujours à l'usine. Pendant les congés, pareil : on est comme un père et un fils, pas des copains, chacun vit sa vie. D'ailleurs, je ne me souviens pas d'être allé boire un coup avec lui, ne serait-ce qu'une fois. Donc je ne le surveille pas vingt-quatre heures sur vingt-quatre. Mais pendant que les flics me cuisinaient, au-dedans de moi, je me disais qu'il ne pouvait pas être coupable. Pas lui, pas Daniel. Ce n'est pas possible quand même ? Ça serait... Alors maintenant, s'il hurle son innocence comme ça, c'est vrai, je suis content : c'est bon, c'est qu'on est deux innocents. « Faut me croire, j'ai rien fait ! » Il continue de taper et un type se met à gueuler. Ils sont en train de le faire souffrir comme ils me font souffrir. On est en train de vivre le même calvaire, de subir le même sort. Donc c'est ça : je me sens encore plus fort. Parce qu'on est deux à lutter. Alors je me battrai, même à coups de poing je me battrai, mais on sortira de là, et tous les deux. Les flics pourront bien me garder soixante-seize heures, ils ont menacé de le faire tout à l'heure, même quinze jours, même trois semaines, moi je m'en fous, qu'ils me gardent. Ils ne sauront jamais rien. Parce que je n'ai rien à dire. Et puis toi non plus, fils. On est deux, on s'appelle Legrand, et on n'a rien à avouer.

Ses cris viennent de s'arrêter. Il s'est calmé. Je respire mieux.

Maintenant, je peux aller m'asseoir sur la couchette.

Il fait sombre. Sacrément sombre : il n'y a pas de lumière dans la cellule. De toute façon, pour ce qu'il y a à voir, ce n'est pas très grave : des murs en béton, une porte blindée, des toilettes à la turque, la couchette.

Quelle heure est-il ? Ils m'ont enlevé ma montre en même temps qu'ils m'ont pris mes clés, celles de mes caisses à outils, j'en avais plusieurs. Sans doute qu'ils s'imaginaient que c'était pour ouvrir l'appartement de l'autre, comment il s'appelle déjà... Thierry Delay. Il paraît que je vais chez lui presque tous les jours, je ne vois pas trop quand : c'est pas du mi-temps, les chantiers. Ils m'ont retiré mes chaussures aussi. Avec le froid qu'il fait, ça n'aurait pas été du luxe de les avoir.

Il y a dix minutes, deux tartines de pain sec avec un bout de fromage pour le souper. Ça ne fait pas lourd, je ne suis pas habitué. Je rumine toujours, je n'arrête pas, il n'y a rien d'autre à faire de toute manière, ça remue, ça remue grandement. Tous ces gens que j'ai vus en photo, d'où ils sortent ? Est-ce qu'il y en a un que j'aurais croisé un jour et dont je ne me souviendrais plus ? Apparemment, ils font tous partie d'un sale truc, un réseau comme ils disent. Mais, nous, on a été pris à la place de deux autres types, ça doit être ça : on paie pour eux. Mais qui nous en veut pareillement pour nous mettre tout ça sur le dos ? Cette Myriam Mazoui ou Badoui, jamais vue, donc elle a dû avoir nos noms par quelqu'un, mais par qui ? Pareil pour l'autre femme, Grenon : elle dit que je l'ai menacée de mort pour pas qu'elle parle, que je filmais des scènes de... de je sais pas trop quoi. Et que je vendais les cassettes après. Que les flics aillent demander à Peggy ou à Daniel : je suis même incapable de mettre l'alarme de mon réveil, ce sont toujours les enfants qui me règlent tous ces machins électroniques. Donc moi, utiliser une caméra, je voudrais bien voir ça... C'est aberrant d'inventer des choses pareilles. Je cherche, je cherche, mais je ne trouve pas, il faut que ça me revienne. Il y a forcément quelqu'un qui nous en veut.

Comment va le fils maintenant ? Avec son blouson, il ne doit pas avoir chaud, lui non plus. Et les tartines n'ont pas dû lui remplir le ventre. C'est le plus fragile de mes cinq gamins, Daniel. Quand il était petit, je me souviens, c'était toujours le premier à tomber et à s'écorcher quelque chose. Timide, à rougir pour un rien, peureux avec ça. Gentil, trop gentil même, combien de fois je lui ai dit. C'est un gosse qui donnerait ce qu'il n'a pas. Et puis toujours collé à la maison, à revenir cinq fois, dix fois dans la journée. Après ses entraînements de foot, souvent, il s'endormait direct devant la télé, à chaque fois il fallait que je fasse mine de m'énerver : c'est vrai, le gosse aurait été quand même plus à son aise dans son lit ! Mais non, il préférait rester avec nous. Avec Nadine, on se faisait un petit clin d'œil quand on le voyait tout plié dans son fauteuil, à lutter contre le sommeil.

Et là, comment il va ?

J'appelle le gardien. Je lui dis que j'ai besoin de feuilles pour faire ma roulée. Ça serait bien qu'il aille voir mon fils pour lui demander de me dépanner.

Daniel Legrand FILS
Commissariat de police de Calais
14 novembre 2001

Les policiers qui font leur ronde m'observent bizarrement. Ils vérifient par la vitre si je vais bien. Mais je leur trouve quand même un air méchant. Peut-être que je me trompe. Peut-être que c'est dans ma tête. Je ne sais plus. Tout m'angoisse. Les murs. La porte. La dalle en béton. Les gens qui passent. Je veux fermer les yeux, oublier, mais je n'y arrive pas : il y a toujours un bruit quelque part, un claquement de porte, des clés dans une serrure, des voix, mon père peut-être qui rentre dans sa cellule. Qu'est-ce que je fais là ? Cette question me revient sans cesse dans la tête. Qu'est-ce que je fais là ?... Un gardien arrive. Il ouvre la porte. Je me crispe.

Des feuilles pour mon père... ? Bien sûr que j'en ai, des feuilles ! Et puis du tabac aussi ! J'ai assuré ce matin en prenant tout ça sur l'étagère, au dernier moment, quand ils nous ont sortis de l'appartement. Je suis content, très content, je donne presque tout ce que j'ai au gardien, je lui dis : « Surtout, dites à mon père que ça va aller, il faut le tranquilliser, dites-lui que ça va bien se passer, que ça va s'arranger, hein, s'il vous plaît, vous lui direz ? » Le type ferme la porte, j'écoute. Il s'en va au fond du couloir. Et j'entends un bruit de serrure. Mais pour le reste, c'est trop loin. Pourvu qu'il lui dise, pourvu qu'il lui passe le message. À nouveau, une porte qu'on claque, le cliquetis des clés, puis le gardien revient. J'essaie de capter son regard à travers le panneau en double vitrage, il a peut-être quelque chose à me dire de la part de mon père ? Mais rien. Il n'a même pas tourné la tête vers moi. J'ai le cœur qui se serre...

Dans la cellule voisine, il y a un ivrogne. Jusque-là, il parlait tout seul. Maintenant, il se met à chanter.

J'aimerais bien une autre tartine. Le dîner, c'était léger. Comme le déjeuner d'ailleurs. Mon père, je le connais, il a dû râler avec deux pauvres tartines dans l'estomac ! Mais pour le tabac, ça réchauffe un peu, il a dû être content. De le savoir à côté, pas loin, c'est rassurant : il est plus âgé que moi, il a l'expérience de la vie, il saura ce qu'il faut faire. J'ai l'impression d'être moins seul. Oui, c'est ça : il ne faut pas que j'oublie que mon père est à côté, ça ira mieux si j'y pense. Je regarde mon verre d'eau, il est vide, je voudrais bien en redemander. Mais je n'ose pas. C'est sûr, c'est rassurant de le savoir là. Enfin tout de même, quand on y pense, c'est triste. Parce que dans quelle histoire on est embarqués là, tous les deux... Il a dû m'entendre tout à l'heure, quand je tapais dans la porte. C'est bien. Comme ça, il sait que je suis comme lui : dans l'embarras. Au fond, c'est un peu pour lui aussi que je criais. Parce que, si on commence à ne rien se dire, on est foutus. Il faut qu'on se parle, mon père et moi. Même comme ça, même avec des coups de poing dans les portes. Mais il faut qu'on garde le contact. C'est essentiel. La seule force qu'on a, c'est notre parole. La parole de gens qui s'aiment.

Plus personne ne passe devant ma porte. Il doit commencer à se faire tard, les policiers ont dû rentrer chez eux maintenant. Je me couche sur la dalle, je vais essayer de dormir. Il faut être en forme pour demain, comme pour un match. J'ai hâte d'y être, qu'ils m'interrogent à nouveau. Je leur dirai ce qu'il y a à dire. C'est ça : mon arme, c'est la parole. Je me mets bien ça dans la tête. Pendant l'audition, je ne crierai pas après eux. Ils n'attendent que ça de toute façon. Ça va les énerver, ça sera une catastrophe. Après, ils vont critiquer : « Celui-là, il est violent. » Non, je vais leur expliquer, calmement, sereinement. Ils verront bien que je ne suis pas un monstre ni un violeur d'enfants. On ne me regardera plus comme une bête. Un des policiers, le grand, est plus gentil que les autres. C'est à lui que je m'adresserai demain. Lui comprendra, lui saura lire dans mon cœur. Ça ira. Et puis mon père n'est pas loin.

Je ferme les yeux. L'ivrogne continue de brailler. J'ai froid.

15 novembre 2001. Après une nuit passée en garde à vue, le jeune Daniel Legrand est auditionné à 10 h 15 :

« S'il vous plaît, faites votre métier du mieux possible pour prouver que moi et mon père sommes innocents. Je n'ai jamais rien fait, moi et mon père nous ne sommes absolument pas impliqués. S'il vous plaît, sortez-nous de ce pétrin.

Question : Ne pouvez-vous pas vous-même fournir certains éléments qui permettent de faire avancer les choses ?

Réponse : Je ne peux rien vous dire, je ne connais aucune des personnes que vous nommez, je n'ai aucun élément à fournir, car je ne suis pas du tout impliqué dans cette histoire. Je ne sais pas ce que nous avons fait pour mériter ça. Toute cette histoire est de la connerie, je ne comprends pas. Je ne demande pas mieux que de vous aider, je ne veux pas passer ma vie derrière les barreaux.

Si vous êtes de bons policiers, vous prouverez que je suis innocent. »

Daniel Legrand FILS
Commissariat de police de Calais
15 novembre 2001

Ils ne m'ont pas cru. Même le gentil. Il m'a dit que c'était bien beau de dire que j'étais innocent, mais que les enfants m'accusaient quand même. Qu'ils m'avaient bel et bien reconnu sur les photos.

Et il m'a regardé : « Pourquoi des enfants mentiraient ? »

Alors, je me suis tourné vers tous les policiers qui étaient dans la pièce : « Dites-moi : qu'est-ce que je peux faire, alors ? »

Oui, qu'est-ce que je peux faire ? Puisque, c'est vrai, le policier a raison : les enfants, ça ne peut pas mentir. Pas pour des choses aussi graves.

Après une nuit agitée et une matinée à attendre qu'on vienne le chercher, le père Daniel Legrand est auditionné à son tour :

« L'an deux mille un, le quinze novembre, à seize heures quinze.

Faisons à nouveau comparaître devant nous le nommé Legrand Daniel, quarante-neuf ans, lequel serment préalablement prêté de dire la vérité, toute la vérité, rien que la vérité [...] dépose comme suit :

Je maintiens la totalité des déclarations qui ont été faites hier. Je ne peux pas inventer des conneries. Je n'ai rien fait. Si des personnes ou des enfants me mettent en cause, ils sont tous des menteurs.

Et si les enfants disent qu'ils ont été violés par moi, ils sont aussi menteurs que leurs parents. »

Daniel Legrand PÈRE
Commissariat de police de Calais
15 novembre 2001

Un des flics a fini par s'énerver, il s'est levé, il a crié : « J'en ai marre ! » Je lui ai répondu que c'était son problème, que moi j'étais mieux ici au chaud à répondre à ses questions, plutôt qu'en bas à me geler dans son trou à rats. Il m'a dit de relire le procès-verbal avant de le signer. Alors j'ai relu. Tout. Bien comme il faut, ligne par ligne. En prenant mon temps.

Ça aussi, il n'a pas eu l'air d'apprécier.

Qu'est-ce que je peux faire d'autre de toute façon ? Je suis cerné de tous les côtés : les policiers, tous ces gens qui m'accusent, et puis même des enfants. Qu'est-ce qu'on peut faire contre ça ? S'ils ont été violés, c'est horrible. Mais je n'y suis pour rien, moi. Je sais bien ce que je n'ai pas fait.

Donc, en m'accusant, soit ces gamins se trompent de personne, soit ils mentent. C'est quand même pas compliqué à comprendre...

Daniel Legrand père osait soutenir que les enfants qui l'accusaient étaient aussi menteurs que leurs parents. Blasphème. Comment des enfants pouvaient-ils mentir ?

Les adultes mentent, bien sûr. Même les policiers, parfois ; ceux qui auditionnaient l'ouvrier de Wimereux s'étaient laissés aller à quelques petits arrangements avec la vérité. Ils avaient affirmé à Daniel Legrand père que Myriam Badaoui connaissait bien Daniel Legrand fils ; la preuve, disaient-ils, cette dernière avait pu préciser que le jeune homme avait fait, quelques années plus tôt, des chèques qu'il n'aurait pas dû faire. Comment aurait-elle obtenu cette information si elle ne l'avait pas côtoyé de près ? Daniel Legrand père n'avait pas pu répondre à cette question troublante.

Jamais, pourtant, Myriam Badaoui n'avait dit cela. À aucun moment.

Elle avait en revanche affirmé que le jeune Legrand venait à son domicile au volant d'une voiture rouge à trois portes, voiture également utilisée par son père. Ce dernier, s'il avait été informé de ce détail, aurait sans doute songé amèrement à sa vieille Citroën, clamé que son fils n'avait pas les moyens de s'offrir un véhicule... De toute façon, il n'avait pas le permis de conduire. Mais on n'avait pas jugé utile de le questionner sur ce point particulier.

Donc, les adultes mentent, et ce n'est une surprise pour personne. Mais les enfants... ? Les enfants mentent pour cacher une bêtise. Mais pas pour aller raconter qu'ils ont été violés. Ça n'aurait pas de sens : tel était l'axiome de départ des policiers.

En revanche, ces derniers, comme tous les professionnels en prise sur le monde judiciaire, savent une chose : certains enfants souffrent, et parfois énormément. Ils peuvent même mourir à cause de la barbarie des adultes : qui peut oublier l'affaire Dutroux ?

Cinq ans à peine auparavant, le pédophile et meurtrier belge avait été arrêté. Tous avaient en mémoire l'effroi ressenti lorsque, au journal de 20 heures, on avait décrit les souffrances de ses victimes, dont certaines étaient mortes de faim, prisonnières d'une cache dissimulée dans la cave de leur tortionnaire, cache que les gendarmes belges n'avaient pas su repérer. Impossible d'oublier, non plus, l'image des six cent mille personnes défilant dans les rues de Bruxelles, la « marche blanche » silencieuse et digne dont l'objectif avait été de dénoncer les dysfonctionnements de la justice belge sur ce dossier. En France, tant d'horreur et tant d'erreurs humaines avaient tranquillement creusé leur sillon dans l'inconscient collectif en général, dans celui des policiers et des magistrats en particulier. À Boulogne-sur-Mer comme ailleurs. Certainement même davantage : la Belgique est toute proche.

Lorsque les petits Delay avaient commencé à dénoncer tous ces adultes qui, comme ils le disaient, leur « faisaient des manières », au palais de justice boulonnais, on avait donc frémi. Dutroux, Outreau : même terrifiante consonance. Mais, il le fallait à tout prix, l'analogie s'arrêterait là : ici, on saurait déjouer un éventuel réseau, on ne lâcherait aucun pédophile multirécidiviste dans les rues. Chez nous, il n'y aurait pas d'affaire Dutroux. Pas plus qu'il n'y aurait, comme ce fut le cas à Bruxelles, de commission parlementaire pour faire le point sur les négligences des uns et des autres. Ambition, louable, des acteurs judiciaires de la région : l'affaire d'Outreau serait rondement menée.

Le contexte était émotionnel.

Les petits Delay avaient évoqué un Dany Legrand qui habitait... en Belgique. La Belgique, encore... Les enfants n'étaient d'ailleurs pas les seuls à en avoir parlé. En effet, depuis son cachot, Myriam Badaoui écrivait de nombreuses lettres à son juge d'instruction. Lettres dans lesquelles elle dénonçait de nouveaux violeurs, peaufinait une accusation, exprimait son éternel repentir d'avoir violé ses garçons, etc. Dans l'un de ces courriers, elle précisait que son mari avait eu l'intention d'emmener ses enfants... en Belgique, et en concluait : « Je mettrais ma main au feu que mon mari faisait partie d'un réseau. Sinon, pourquoi la Belgique ? » Comme si, dans son esprit, le plat pays, depuis Dutroux, ne pouvait rimer qu'avec réseaux pédophiles.

Très peu de temps après son arrestation, Myriam Badaoui avait également dénoncé un propriétaire de sex-shop, magasin que l'ironie du sort situait au 22, rue des Religieuses-Anglaises, à Boulogne-sur-Mer, et que Thierry Delay fréquentait assidûment pour se fournir en cassettes pornographiques. Elle ne se souvenait plus de son nom, tout ce qu'elle pouvait dire de ce personnage particulièrement abominable, c'est qu'il était homosexuel, violent, et qu'il les prostituait, elle et ses enfants. Notamment à des Anglais.

Bref, au fil des semaines, d'un interrogatoire à l'autre, Myriam Badaoui ramassait toutes ces déclarations éclectiques, livrées par elle-même ou ses enfants, pour en faire une seule et même information : on se retrouvait peu à peu avec un Dany Legrand qui, certes, habitait la Belgique, mais qui était aussi chef d'un réseau pédophile international (Belges, Anglais, etc.), réseau installé dans le secret d'une ferme flamande. L'homme gérait par ailleurs un sex-shop, parce que, oui, Myriam Badaoui s'en souvenait parfaitement maintenant, l'homosexuel propriétaire dudit magasin de Boulogne-sur-Mer s'appelait... Dany Legrand. La boucle était bouclée.

Pour Dany Legrand, c'était réglé : les enquêteurs en avaient bien trouvé un. Et même deux. Et tant pis s'ils n'habitaient pas la Belgique. Pour le sex-shop de la rue des Religieuses-Anglaises, on y avait effectivement trouvé un homosexuel. Et tant pis s'il ne s'appelait ni Dany, ni Legrand. On s'occuperait de lui plus tard.

Restait la ferme.

Les enfants n'avaient pas su dire où elle se trouvait. Leur mère avait donné quelques pistes :

« Je suis allée en Belgique quatre fois. C'était pas loin du parc de jeux. On est allés en voiture. On y est allés deux fois avec Pierre Martel, le chauffeur de taxi... On allait aussi avec la boulangère[1], avec sa camionnette... La boulangère disait que c'était pour aller chercher du tabac, mais ce n'était pas vrai. Elle allait apporter des cassettes avec des scènes de pédophilie jusqu'en Belgique chez Dany Legrand. Elle cachait des cassettes dans des cartons de chips et elle remettait des chips sur les cassettes pour les cacher... Nous allions à Bellewaerde... La maison est située près d'un supermarché bon marché, près du parc de jeux dont le logo est un kangourou. »

Les policiers belges menaient donc leur enquête à proximité de Bellewaerde, célèbre pour son parc d'attractions, dans l'arrondissement d'Ypres. Mais, aux alentours, pas de supermarché ni de kangourou. Où se trouvait donc cette ferme ? Le 9 novembre 2001, soit cinq jours avant que ne soient arrêtés les Legrand, Martel, Wiel et autres Marécaux... on décidait d'emmener deux des enfants Delay du côté de Bellewaerde : peut-être se souviendraient-ils de quelque chose ?

Vladimir et Nolan étaient placés dans des véhicules différents, afin qu'ils ne s'influencent pas l'un l'autre.

1. Soit Roselyne Godard, arrêtée en avril 2001.

Ils étaient conduits au parc de Bellewaerde, puis, lentement, la petite procession se mettait à errer sur l'axe routier voisin. Soudain, Vladimir, sept ans, pointa du doigt. C'était là. 87, Menenstraat, à Zonnebecke. Sûr.

Vladimir était le préféré de Myriam Badaoui. Il jouissait d'une certaine autorité sur ses frères. Il n'était pas l'aîné, mais c'était tout comme. Le plus grand, en réalité, c'était Charly, issu d'un premier mariage de sa mère avec un Algérien. Thierry Delay, qui n'aimait pas l'enfant, le traitait mal, l'appelait le « bougnoule » et le battait les jours où il avait trop bu. Charly était donc à part, mangeant parfois seul tandis que tous les autres dînaient de leur côté, ensemble. Bref, le grand frère ne comptant pas pour grand-chose aux yeux du chef de famille, au fond, c'était presque Vladimir l'aîné. C'était aussi celui qui avait subi le plus de viols.

Celui qui avait, le premier, dénoncé son père et sa mère.

Celui qui avait dit, alors que la juge pour enfants lui expliquait que ses parents allaient être incarcérés pour longtemps : « Il n'y a pas de raison que les autres ne soient pas punis aussi ! »

Celui qui avait donc pris son feutre pour faire la liste de tous ceux qui lui avaient fait du mal comme « papa et maman ». « Papa et maman » qu'il était si triste de ne plus revoir parce qu'il les aimait quand même.

C'était aussi Vladimir qui avait parlé de « Dany Legrand ».

Et il était sûr du 87, Menenstraat.

Dans l'autre voiture, le petit Nolan, cinq ans, tordait le cou dans tous les sens : il avait bien vu la voiture de son grand frère ralentir à hauteur d'un bâtiment, mais lequel ? Les policiers durent lui demander d'être un peu plus attentif aux maisons sur le côté et d'oublier trente secondes ce qui se passait devant lui. À son tour, le petit garçon arrêta les policiers à l'endroit où approximativement il avait vu s'immobiliser le véhicule de son frère quelques instants auparavant. Il désignait le 83 de la même rue.

Dans le doute, toute la procession continuait un peu plus loin, puis revenait rue Menenstraat. Vladimir confirmait : c'était bien le 87. Nolan changeait d'avis : finalement, c'était le 81. Sûr.

On s'éloignait à nouveau puis on revenait une troisième fois. Vladimir : c'est le 87. Nolan : non, en fait, c'est le 87. Les policiers avaient noté que Nolan était tout de même très hésitant, des clichés étaient donc pris des deux bâtiments : le 87 et le 81.

On se retrouvait avec deux fermes sur les bras.

Les enfants oublient, c'est naturel. Mais, heureusement, il y avait Myriam Badaoui. On lui montrait les photographies : le 87 ou le 81, Menenstraat ?

La réponse ne tarda pas : les deux.

Le mercredi 14 novembre étaient arrêtés les Legrand et leurs complices présumés. Dans le même temps était interpellé l'homosexuel du sex-shop de la rue des Religieuses-Anglaises, mais il était relâché quelques heures plus tard : aucune preuve contre lui. Le même jour était perquisitionnée la ferme belge... Rectification : *les* fermes belges. Et tant pis si Myriam Badaoui, au tout début, n'en avait mentionné qu'une seule. Un vieux matelas en mousse, des tracteurs, de la paille, des vaches : rien de très suspect n'était trouvé. Pourtant, ce n'était pas faute d'avoir cherché. En effet, les policiers flamands, très zélés, avaient également proposé à leurs collègues français d'effectuer, tant qu'à faire, des perquisitions au 83 et au 85 de la même rue : il ne serait pas dit qu'en Belgique on passe systématiquement à côté des caches où meurent les enfants.

Quelques agriculteurs, un vieil homme handicapé, sa femme : tous les occupants de ces demeures étaient interrogés. Ils se déclaraient totalement étrangers à l'affaire, affirmaient n'avoir jamais remarqué d'allées et venues suspectes dans leur rue, ni observé la présence fréquente de véhicules immatriculés en France. Un album contenant les photographies des enfants et des suspects leur était présenté. Ils ne reconnaissaient personne. Et surtout, pas Daniel Legrand, le père ou le fils.

Ce mercredi 14 novembre n'était décidément pas un jour de chance pour les policiers. La moisson était maigre côté Belgique. Et, côté France, on n'obtenait des interpellés guère plus que des pleurs, crises de nerfs, colères et autres comportements de stupeur. Le 15 novembre, cependant, une petite lueur d'espoir : un des suspects avait peut-être reconnu Daniel Legrand fils.

En effet, Pierre Martel, le chauffeur de taxi, avait eu un doute. On lui avait montré un nombre impressionnant de photographies. Sur celle du jeune Legrand, il avait eu un moment d'hésitation : celui-ci était-il déjà monté dans son taxi en compagnie de Myriam Badaoui ? Peut-être. Mais peut-être pas.

Les policiers sortaient donc Daniel Legrand fils de sa cellule de Calais pour l'emmener à Coquelles, aux environs de Boulogne-sur-Mer, où Pierre Martel était interrogé. Les deux suspects étaient mis en présence l'un de l'autre. L'air était électrique. Le taxi, les traits tirés par une nuit de garde à vue, à bout de nerfs, semblait hésiter en scrutant le visage du jeune homme. « C'est oui ou c'est non ? », pressaient les enquêteurs. Le suspect rétorquait qu'il n'était plus très sûr de lui, que peut-être il s'était trompé, qu'il en voyait tellement des clients, et la plupart du temps seulement dans son rétroviseur... « Oui ou non ? », insistait-on. Pierre Martel aurait bien dormi un peu pour oublier le cauchemar qu'il était en train de vivre, il était épuisé de répondre toujours par la négative à des questions dont la teneur le révulsait, il pensait à sa femme et à ses enfants. « C'est oui ou c'est non ? » Tout était tellement flou depuis deux jours. « Oui ou non ? » Sans conviction, il lâcha : « C'est oui. »

« Outreau, au trot ! » En ramenant Daniel Legrand au commissariat de Calais, l'un des enquêteurs s'était permis cette petite boutade, galvanisé peut-être par le fait qu'enfin on obtenait un élément probant : Pierre Martel avait formellement reconnu Daniel Legrand. Le jeune homme, lui, était effondré. Car on n'avait pas manqué de lui préciser qu'ils étaient quatre, désormais, à « formellement » le reconnaître : Myriam Badaoui, Aurélie Grenon, David Delplanque et, maintenant, Pierre Martel. Il n'y comprenait décidément plus rien. C'est pour cette raison sans doute qu'il retenait principalement de l'épisode Coquelles la conclusion qui lui avait été livrée dans la voiture par l'un des policiers : « T'es mal barré... »

Daniel Legrand FILS
Commissariat de police de Calais
15 novembre 2001

Dans quoi je suis tombé ?

Quand le taxi a lâché : « C'est oui », je lui ai dit : « Mais je ne vous connais pas, monsieur ! » Et là, j'ai bien vu sur son visage qu'il regrettait déjà d'avoir dit ça. Il ne savait plus. Il était complètement paumé.

De toute façon, je n'ai pas d'argent, alors, prendre le taxi, c'est impossible.

Mais dans quoi je suis tombé ?...

Daniel Legrand PÈRE
Commissariat de police de Calais
16 novembre 2001

Quelle heure est-il ? 1 ou 2 heures du matin au moins... Impossible de dormir. Le jour, ils éteignent la lumière dans la cellule, si bien qu'on est dans un trou noir. Mais, la nuit, ils la laissent allumée plein pot, histoire qu'on ne puisse pas fermer l'œil. Ça tape sur le système.

Est-ce que c'est pareil pour le fiston ? Est-ce qu'il dort ? Je ne l'ai pas croisé aujourd'hui. Et il ne cogne plus dans les portes. J'espère que ça va...

Je fais les comptes : ils m'ont arrêté mercredi matin à l'usine ; aujourd'hui, c'est jeudi. Deux jours de garde à vue, donc. Et je ne sais même plus combien de fois ils m'ont interrogé. Demain, c'est vendredi.

Donc, demain, c'est terminé.

Ils m'ont dit qu'au matin je serai présenté au juge, que la garde à vue n'était pas prolongée. Donc moi je me dis que c'est la fin du cauchemar... c'est sûr. Parce qu'ils n'ont rien, aucune preuve, ça saute aux yeux quand on n'est pas idiot. Le juge verra ça tout de suite, ce n'est pas possible autrement.

Il faut que je réussisse à dormir, cette fois : il faut être en forme pour le juge. Mais il y a ce froid, on a beau faire, il est toujours là. Hier, j'ai dû me lever après deux ou trois heures à me retourner sur la couchette, j'ai tapé à la porte, j'ai dit au gardien : « Moi, il me faut une couverture, parce que ce n'est plus tenable ! » Il m'en a donné une, grande comme une serviette de salle de bains. Finalement, je m'en suis servi pour protéger mon dos : la couchette, ce sont juste des planches en bois, et moi j'ai mal au dos, alors c'est terrible. De toute façon, il faut tout réclamer ici. Pour boire, c'est pareil : j'ai eu du mal à obtenir un verre d'eau. À un moment, j'avais vraiment trop soif, j'ai appelé le gardien pour lui en demander un. Il m'a proposé d'aller au supermarché m'acheter un gobelet. Mais je n'ai que cent francs sur moi : mercredi matin, avant de partir au boulot, j'ai demandé de l'argent à Nadine pour mettre de l'essence dans l'auto, elle m'a donné un billet. Et je ne vais pas gâcher pour un gobelet. Donc j'ai dit : « Non, moi je demande juste une goutte à boire. » Alors il m'a emmené au robinet. J'ai bu comme je pouvais.

De toute façon, tout ça, ce n'est pas très grave. Parce que, demain, c'est fini.

Demain, on passe devant le juge. Au soir, je suis à la maison. Le gamin aussi.

Daniel Legrand FILS
Commissariat de police de Calais
16 novembre 2001

Quand je me suis réveillé, ça a duré deux secondes, mais pendant deux secondes, je ne savais plus où j'étais. Des crachats, des murs, une porte... Alors je me suis souvenu : ah oui, mon Dieu, c'est vrai, je suis là. Dans une cellule de garde à vue. Embarqué dans une histoire où je suis mal barré. Je suis là. Et je ne suis pas chez moi.

Quelque chose à l'intérieur de moi s'est tordu très fort. Ça m'a fait mal jusque dans la poitrine.

Maintenant, j'attends. Fatigué : je n'ai pas beaucoup dormi. Et puis je prendrais bien une douche. Ils m'ont dit hier soir que la garde à vue était terminée. Ce matin, je passe devant le juge. Pour ça, j'aurais voulu être propre. Digne, quoi. Au moins me laver les dents, me raser, me passer un coup de peigne... C'est fou : il suffit de deux jours pour avoir l'impression d'être devenu un animal, un moins-que-rien.

La serrure grince, la porte s'ouvre. Un policier vient me chercher, il m'annonce que nous partons sur Boulogne. Je quitte ma cellule et je me dis que je ne la reverrai plus jamais. C'est déjà ça. Je tourne la tête vers le fond du couloir : le cachot de mon père est ouvert. Il a dû partir voir le juge lui aussi. Peut-être même qu'il a été libéré et qu'il m'attend ? Peut-être que le juge s'est rendu compte qu'il y avait erreur sur la personne ? Et si ça s'arrangeait finalement ? Si on n'était pas si mal barrés que ça ?

La rue m'éblouit. Pourtant il est encore tôt et il ne fait pas si beau que ça. Les gens partent au travail, il doit être 8 heures et quelques. En face de nous, un groupe de lycéens. Ils sont si nombreux qu'ils occupent tout le trottoir. On va les croiser. Je baisse les yeux. Mais je les entends quand même : ils se font la bise, ils plaisantent, ils se disent des choses qu'on se dit quand on est jeunes. J'ai la sensation d'être ailleurs, dans un autre monde qu'eux. Déjà vieux, en fait. C'est désolant. Oui, je me dis ça : c'est désolant.

Je fais ce que je peux pour qu'ils ne voient pas les menottes.

Je commence à la connaître, cette voiture. On roule, je m'accroche au paysage qui défile. J'ai l'impression que de regarder les arbres, les champs, le ciel, ça me lave de tout. Un peu d'espoir me revient. Et d'un coup, je ne sais pas pourquoi, ça me reprend : j'essaie encore de convaincre les policiers. Je sais qu'ils s'en moquent, mais tant pis. Et je repars : que je n'ai rien à voir avec tout ça ; que le juge, lui, verra bien que c'est un complot contre nous ; que les enfants ont dû se tromper, etc. Le policier à côté de moi me coupe la parole : « Si tu n'as rien fait, ça devrait aller. Tu verras... »

Ça y est : il y en a un qui a fini par m'écouter ! Il ne me prend déjà plus pour un monstre, puisqu'il a dit : « Si tu n'as rien fait... » J'avais raison : parler, c'est ma seule défense. Alors d'un coup, ça va un peu mieux. J'ai le cœur plus léger. Oui, c'est vrai : je n'ai rien fait, donc ça devrait aller. D'ailleurs, mon père m'a dit un jour : « La justice, c'est quelque chose de sérieux ! » Pour lui aussi, ça devrait aller. Nous approchons des quartiers que je connais. La côte apparaît, la mer, les nuages. Le temps n'est pas suffisamment clair pour qu'on distingue l'Angleterre, c'est dommage. Je voudrais respirer l'odeur de la Manche. J'aime bien ma région, j'ai toujours été fier d'être ch'ti. Je voudrais retrouver Wimereux.

Ce soir, sûrement. Ce n'est pas possible autrement.

Lorsque nous arrivons devant le palais de justice de Boulogne, j'ai l'impression d'être un peu plus fort. Et puis Boulogne, je connais, je me sens déjà plus près de chez moi, ça fait du bien. Mais là, surprise : France 3 attend devant le bâtiment. Nous sortons de la voiture. Le policier qui m'a mis les menottes me demande si je veux mettre la capuche de mon sweater pour cacher mon visage. Je refuse, je lui dis que je n'ai rien à me reprocher. Il me fait quand même contourner le caméraman. Je ne sais pas si j'ai été filmé. De toute façon, je suis passé la tête haute.

Et là, après des escaliers et des portes, dans un couloir, je retrouve mon père. Assis, la tête baissée. Cassé. Donc ils ne l'ont pas libéré. C'est à peine si on ose se faire un petit signe pour se dire bonjour : on nous interdit tout de suite de communiquer. Pourtant, c'est important qu'on reste en contact, mon père et moi, alors je m'en fiche, je trouverai bien une occasion...

À un moment, du coin de l'œil, je le vois prendre une cigarette, et je pense à ses mains, à ses mains de courageux. Il lui manque une phalange au majeur de la main droite : elle est passée dans une machine de l'atelier, chez Delattre. C'est vrai qu'il a des mains de courageux, mon père. Le deuxième jour de garde à vue, ils nous ont fait des prélèvements ADN et ils nous ont pris nos empreintes digitales. Nous étions tous les deux. Des types s'étaient mis devant la porte, au cas où nous aurions voulu nous enfuir. Mon père a tendu les mains, un des policiers lui a dit : « Qu'est-ce que c'est que ces mains-là ? » Elles sont abîmées par le travail, rêches, grises de graisse incrustée. Ça ne part pas facilement, la graisse. Alors mon père a répondu : « Ça ? Ce sont des mains de travailleur ! » C'est à ce moment-là que le policier a remarqué la phalange amputée et il a dit que ça pourrait servir pour l'enquête. Il avait l'air de trouver ça intéressant. Je n'ai pas compris pourquoi.

Mon père, assis là-bas... Ils l'accusent des mêmes choses que moi. Et je sais bien la peine que ça lui fait, de supporter ces accusations-là. Je n'ai plus trop osé le regarder, je ne sais pas pourquoi. Sans doute que ça me faisait trop de chagrin.

J'ai hâte de voir le juge, ça ne devrait plus tarder maintenant. Je regarde l'horloge sur le mur. Il est 9 heures du matin.

Daniel Legrand PÈRE
Palais de justice de Boulogne-sur-Mer
16 novembre 2001

Il est bientôt 18 heures.

Ça fait des heures que je suis assis là, entouré de flics, à attendre de passer devant le juge, à observer les gens qui entrent et qui sortent des bureaux, à regarder l'horloge sur le mur. C'est long. On voudrait bien dormir, mais on n'y arrive pas. Parce que c'est important, de passer devant le juge, alors il y a plein de choses qui vous traversent la tête.

Je repense à ce matin : quand je suis arrivé, il y avait des journalistes et des caméras sur le perron du tribunal. Est-ce que c'était pour notre histoire à nous ? Ils attendaient, campés juste en haut des marches et forcément, il fallait passer devant eux. Bon sang. Je me suis tourné vers les policiers : « Il faut me détacher, hein ? » Le plus grand a répondu : « Hors de question ! », mais un autre a été plus honnête, il a accepté. Ils se sont collés à moi, des fois que je m'échapperais, pourtant je leur avais dit : « Non, moi, je ne me sauverai pas, puisque je suis innocent. » Et on est passés au travers, les journalistes n'y ont vu que du feu. On m'a installé dans un couloir. Et puis Daniel est arrivé.

Tout de suite, les flics nous ont ordonné de ne pas parler entre nous. Alors on ne s'est rien dit. Trois ou quatre fois, j'ai jeté un coup d'œil vers lui, à l'autre bout de la rangée de chaises, derrière tous ces flics et ces gens qui nous séparaient et qui attendaient aussi mais, à ces moments-là, il regardait toujours par terre. Il avait l'air fatigué, nerveux. Il était 9 heures.

Et puis après, 10 heures.

La grande aiguille n'avance vraiment pas vite, c'est insupportable. Ça fait quoi, deux jours qu'ils nous ont arrêtés ? Est-ce que seulement ils ont prévenu Nadine ? C'est ça que je n'arrive pas à savoir, je n'arrête pas de le demander aux flics pourtant. En tout cas, pour mon arrestation, elle est forcément au courant : Bruno, le mari de Peggy, travaille aussi chez Delattre. Donc il lui a forcément raconté ce qui s'est passé sur le parking, mercredi matin. Mais, pour le gamin, qui lui a dit, à Nadine ? Comment elle l'a appris et par qui ? Est-ce qu'elle sait de quoi ils nous accusent ?

11 heures. Midi. Le gamin s'est redressé, il a regardé vers moi, il m'a demandé s'il me restait de l'argent pour nous acheter des sandwichs. Il a ajouté : « Pa, il faut pas t'inquiéter, d'accord ? Ça va s'arranger, pa ! »

C'est un gentil gosse, Daniel.

Mais les flics se sont énervés : il fallait vraiment qu'on se taise, ils ont pris ça au sérieux. Ils ont quand même pris l'argent que je leur ai donné : il restait largement de quoi pour deux sandwichs sur les cent francs que Nadine m'avait donnés pour l'essence.

Même si, depuis, un gardien s'en était servi pour nous acheter des cigarettes : ni moi ni Daniel n'avions plus de tabac. Nadine... Je la connais, elle doit se faire un sang d'encre.

J'ai mangé mon sandwich tout seul : ils ont emmené le fils ailleurs, dans une cellule du palais de justice d'après ce que j'ai compris. Ils ne voulaient plus qu'on se parle... Pour se dire quoi, de toute façon ?... On n'a pas de secrets à cacher.

13 h 30. 14 heures. Hier, une avocate est venue me voir en garde à vue, pour voir si tout se passait bien. Elle m'a demandé si j'avais quelque chose à me reprocher. Encore... J'ai répondu ce qu'il y avait à répondre, comme d'habitude. Elle a insisté : « Attention monsieur Legrand, parce que là, vous partez pour vingt ans. » Je l'ai regardée : « Je m'en fous, dans vingt ans je serai mort. » Elle a commencé à m'expliquer qu'il ne fallait pas parler comme ça, que ça finirait par s'arranger si... Je lui ai coupé la parole : « De toute façon, avec vingt ans, le pire, ce n'est pas pour moi. Le pire, c'est pour mon fils. »

15 heures. 16 heures.

Vingt ans...

Et maintenant, il est 18 h 30. Je vois un type sortir du bureau en face, menotté, entouré de policiers. Il a l'air furieux. Celui-là, avec sa barbe et ses cheveux gris, je l'ai déjà vu quelque part... Je me demande s'il n'était pas parmi tous ces gens que les flics n'ont pas arrêté de me montrer en photo. Lequel ça pourrait bien être[1] ? Il y en avait tellement...

Un homme vient vers moi. Il se présente : « Maître Duport, l'avocat commis d'office. » Il ne comprend pas bien : « Il y a deux Daniel Legrand, c'est ça ? » Je lui dis que moi, je suis le père. Et que le fils est quelque part en bas, dans une cellule. Il me pose des questions, je répète, je répète ce que j'ai dit aux flics, je répète ce que j'ai dit à l'avocate hier, je répète, quoi. Et il me fait lever. Ça y est, c'est bon. C'est maintenant.

Je passe devant le juge.

On entre. Il est derrière son bureau. Il a le nez dans un dossier. Tout de suite, je lui trouve un air un peu jeune quand même, je ne m'attendais pas à ça, il ne doit pas avoir tellement plus que mon gosse. Mais sans doute qu'il connaît son travail, c'est ce que je me dis, sinon, il ne serait pas là. J'ai confiance. Je m'assieds. Il est en costume, il a l'air sérieux. Pas souriant, mais sérieux. Il m'a à peine regardé. Qu'est-ce qu'il est en train de lire ? Sûrement le rapport des flics, il doit voir qu'il n'y a rien, ça va aller. J'ai confiance. Il lève la tête et il commence à me parler. Et là, pour la confiance, c'est terminé. Fini. Direct.

Il reprend la liste : vous avez fait ça. Ça. Ça. Ça. Et puis ça encore. La liste de tout ce que j'aurais fait. La maison en Belgique, et puis des fermes, et puis un sex-shop, les viols, tous ces gens... Myriam Badaoui qui m'accuse, Aurélie Grenon qui m'accuse, David Delplanque qui m'accuse, les enfants qui m'accusent. Il

1. Le prêtre-ouvrier, Dominique Wiel.

est froid, sec, il me regarde à peine. La liste continue, ça, ça, ça... Je le coupe. Tout net, je le coupe. Je lui dis : « Écoutez, moi c'est pas dur, c'est non ! De A à Z ! » Je suis déçu à un point... J'ai le cœur qui bat vite. C'est pas possible : pas le juge ! Les flics, je veux bien, mais pas le juge. Il lit toujours sa liste, et puis c'est déjà terminé, il me dit : « Je vous envoie chez le juge des libertés et de la détention. » Je ne comprends pas ce que ça veut dire. Mais on est déjà sortis.

Ça a duré dix minutes au plus. J'ai attendu des heures, et ça a duré dix minutes. Je ne connais même pas le nom du juge, je ne m'en souviens plus, ou on ne me l'a pas dit. Et on entre dans un autre bureau.

Daniel Legrand FILS
Palais de justice de Boulogne-sur-Mer
16 novembre 2001

Il se lève de son siège, il prend un dossier, il revient. Il sort une photo. Il me la montre. C'est la photo d'un bâtiment. « Ça ne vous dit rien, ça ? » Je réponds : « Non, ça ne me dit rien. » Alors il se met à parler, parler, parler, il me réexplique tout depuis le début, pourquoi je suis arrêté, de quoi je suis accusé... Puis il me regarde : « Vous ne reconnaissez toujours pas les faits ? » J'essaie de rester le plus calme possible : « Non, je ne reconnais pas les faits. » Alors il range la photo dans son dossier.

« Bon eh bien pour vous, ça sera quatre ans d'enquête. Et vingt ans de prison. »

Passer devant le juge : je croyais que ça serait la fin du cauchemar. Vingt ans de prison. C'est juste le début alors ? Je regarde mon avocate, elle est venue me voir juste avant que je n'entre dans le bureau du juge. Elle est toute rouge. Elle est jeune, elle n'arrive pas à en placer une. En fait, on est trois jeunes dans ce bureau. Celle en robe noire, celui avec le costume gris, et moi, sale, qui n'ai pas dormi depuis deux jours et qui vais partir pour vingt ans. Je n'arrive pas à penser, ni à me défendre. Je sais juste ça. Que je pars pour vingt ans. Je dis au juge que le ciel me tombe sur la tête. Il me répond : « Ah ça oui, vous pouvez le dire que le ciel vous tombe sur la tête... » Il ajoute : « À moins que... »

Dehors, il fait déjà sombre, j'ai attendu toute la journée. Vingt ans ! C'est juste l'âge que j'ai. Ça va faire long.

« À moins, monsieur Legrand, que vous ne réfléchissiez. Vous savez, on a relâché une personne qui a avoué... »

On a relâché une personne qui a avoué... Une personne qui a avoué. Je mets du temps à comprendre. Pourquoi il me dit ça ? Je lui réponds que je n'ai rien à dire, que je suis innocent. Ça ne lui plaît pas, je le vois bien sur son visage.

Et puis c'est tout. Dix minutes devant le juge pour vingt ans de prison. Il m'annonce : « J'ai demandé votre incarcération au juge des libertés et de la détention. » Je réponds : « Bon, d'accord. » Je pense : « Je suis mal barré. »

Je ne sais pas trop ce que c'est, un juge des libertés et de la détention, mais je sens bien que ça ne va pas aider. Je me lève, je me dirige vers la sortie, l'avocate ferme la porte. Et j'entends : « Monsieur Legrand ! » Je me retourne, c'est le juge. Il a rouvert la porte.

« Réfléchissez bien, monsieur Legrand[1]... »

Dans le couloir, je tombe sur une chaise. On me dit d'attendre avant d'aller voir le deuxième juge.

1. Interrogé sur ce point en février 2006, lors de la commission d'enquête parlementaire sur les causes des dysfonctionnements de la justice dans l'affaire d'Outreau, le juge Fabrice Burgaud a nié sous serment avoir jamais fait de « chantage à la détention ».

Comme le veut la procédure, les deux Daniel Legrand viennent, dans un premier temps, d'être reçus pour un interrogatoire de première comparution mené par le juge d'instruction chargé du dossier. Son nom : Fabrice Burgaud.

Dans un second temps, ils vont être interrogés par le juge des libertés et de la détention, qui devra se prononcer sur une éventuelle incarcération. Son nom : Maurice Marlière. Également présent à cette audition décisive : le procureur de la République de Boulogne-sur-Mer, Gérald Lesigne.

Daniel Legrand PÈRE
Palais de justice de Boulogne-sur-Mer
16 novembre 2001

Je suis dans le bureau du deuxième juge, celui des libertés et de la détention, comme ils disent. Je ne sais pas trop ce que c'est. Il y a le mot « détention », mais il y a le mot « libertés » aussi. Je me dis que c'est peut-être ici que ça va se négocier, que je vais pouvoir enfin me défendre, qu'on va m'écouter un peu.

Il y a deux hommes. Le procureur. Et le juge des libertés et de la détention, donc. Ils sont assis l'un à côté de l'autre. C'est un petit bureau, tout le monde est serré. Le procureur commence. Il me dit : « Monsieur Legrand, vous êtes accusé... » De ceci, de cela, il me ressort toute la panoplie. Il se tourne ensuite vers le juge des libertés. Le juge des libertés me regarde, c'est à son tour, il m'explique que je suis accusé de ceci, de cela, et puis de ça encore. Rebelote. C'est à devenir fou. Ensuite, il prend son téléphone, il parle à quelqu'un. Il raccroche. Et il m'annonce : « Monsieur, je vous incarcère. »

« Quoi ? Comment ? »

Il répète : « Je vous incarcère. »

Ils m'incarcèrent... Ça y est. Je ne reviens plus à la maison. C'est fini. Je ne serai pas chez moi ce soir. C'est la première chose qui me vient en tête : je ne serai pas chez moi ce soir. Et je me remplis de colère. Je crie : « Attendez, vous savez que vous êtes en train d'incarcérer un innocent, là ! » Le type me répond : « Un innocent qui n'est pas près de sortir. »

Ça fait mal...

C'est impossible de dire comment ça fait mal.

C'est trop. Je ne tiens plus. Je n'arrive plus à me contrôler. Je n'arrive plus à respirer normalement, ça me monte à la tête : « Allez, je m'en vais ! Je m'en vais, je veux plus vous écouter, je m'en vais ! » Je me lève, je pars, les flics me regardent bêtement une demi-seconde, tout à coup ils se lèvent précipitamment, ils me mettent les menottes, je répète sans cesse « Je m'en vais ! », l'autre juge se dresse, « Non, il faut que vous signiez d'abord ! », alors je dis « Où est-ce qu'il y a à signer ? » et je signe, je signe, je ne vois plus rien : c'est la cabane, direct. Et je sors. Je ne veux plus les voir. Je suis déjà parti.

Et là, je tombe sur mon fils.

Juste devant la porte, c'est mon gamin, c'est Daniel. Il va entrer là-dedans lui aussi. On se croise. Il me regarde. Je vois bien que ses yeux m'interrogent. Alors je lui attrape la main. Je lui attrape la main et je la serre très fort dans la mienne. Je serre la main de mon gosse. Je l'aurais bien embrassé, j'aurais voulu, mais ce n'est pas possible, parce qu'ils m'auraient retenu, ils auraient cru que je voulais lui dire un truc à l'oreille, on n'a pas le droit. Alors je lui serre la main.

Dans ma main, c'est ça que je lui dis : « Je sais ce qui m'arrive à moi, Daniel. Mais je ne sais pas ce qui va t'arriver à toi. Moi, je sais que je vais en prison. Et que c'est pas demain, fils, que je te reverrai... »

Daniel Legrand père ne reverra pas son fils avant deux ans et demi.

Daniel Legrand FILS
Palais de justice de Boulogne-sur-Mer
16 novembre 2001

Je m'assieds en tremblant dans le bureau du juge des libertés. J'ai le cœur qui bat fort. Pas parce qu'ils me font peur, le juge ou bien l'autre assis à côté de lui, le procureur d'après ce qu'on m'a dit.

J'ai le cœur qui bat fort parce que j'ai croisé mon père.

Il est sorti, il est passé devant moi. Et il m'a serré la main. Il était menotté, il est passé à côté de moi, il ne m'a rien dit, il m'a juste pris la main. C'était une main lourde, pleine de sens, une poignée de main comme je n'en avais jamais reçu. J'ai eu envie de pleurer. Parce que j'ai compris que c'était grave. J'ai senti de la détresse. Il m'a serré d'une bonne poigne, mon père, pour me faire comprendre qu'on n'allait plus se revoir, je l'ai compris tout de suite. Ça m'a fait mal au cœur. On ne se serre jamais la main d'habitude, on s'embrasse. Il ne disait rien, il était pâle.

Mon père m'a serré la main.

Alors je n'entends pas très bien tout ce qu'ils sont en train de me dire. Mais je vois bien que c'est toujours la même chose. Et je n'ai plus la force de répondre toujours pareil. Je dis juste : « Je suis innocent. » Le juge des libertés se retourne vers une dame qui prend des notes. Avec un sourire en coin, il dit : « À Loos ! » Je ne comprends pas. Loos ? Le procureur ajoute : « Et là-bas, je vous conseille de ne pas montrer votre mandat de dépôt. » Je ne comprends pas non plus ce que ça veut dire. L'avocate se lève, c'est fini. Et on sort du petit bureau.

Une fois dans le couloir, elle se retourne vers moi. Elle m'explique que je pars en prison. À Loos. Et là, je pense : « Ils sont devenus fous. » C'est tout ce que je pense : ils sont fous. Je demande à l'avocate : « Mais, mon père, il est où ? Il est reparti en garde à vue ? » Elle me dit : « Non, il est parti en prison à Amiens. Toi, tu vas à Loos. » Je m'entends lui dire : « Ah, c'est terrible. » Je répète ça : « C'est terrible. »

J'ai perdu mon père.

Daniel Legrand PÈRE
Route d'Amiens
16 novembre 2001

Tout le long de la route, dans la voiture, je crie aux flics : « Je veux savoir où il est mon fils ! » Je répète ça, tout le temps.

Je veux savoir où il est mon fils...

Daniel Legrand FILS
Sortie du palais de justice de Boulogne-sur-Mer
16 novembre 2001

Avant de monter dans la voiture, je demande à l'avocate : « Je peux voir ma mère ? On peut passer devant chez ma mère ? »

Elle me répond : « Non, je suis désolée : tu n'as pas le droit... »

Fabrice Burgaud avait vingt-neuf ans. Frais émoulu de l'École nationale de la magistrature, il avait été nommé en 2000 juge d'instruction au tribunal de grande instance de Boulogne-sur-Mer. Ce poste était sa première affectation. Le 22 février 2001, hasard du tableau de permanence, il héritait d'un dossier d'inceste, au départ tristement banal, mais qui prit, au fil des mois, une dimension tentaculaire : l'affaire d'Outreau.

Et son bureau du troisième étage, celui où le destin des Legrand vient de se jouer, ce bureau-là était devenu, au fil des mois, un cloaque.

Le sordide et le glauque, le pire et l'abject. Le jeune juge avait dû tout entendre, tout écouter, tout noter. La valse des horreurs avait été ouverte par Myriam Badaoui. En février 2001, deux jours après son arrestation, elle avait raconté à son juge comment, en pleine nuit, Thierry Delay se travestissait en mettant un masque de sorcière, allait réveiller les petits, les terrorisait en hurlant comme dans les films d'épouvante... pour ensuite les « consoler » le reste de la nuit.

Elle avait aussi décrit, en détail, ce qu'elle-même faisait subir à Charly, Vladimir, Nolan et Brandon ; ce que son mari lui faisait subir à elle également ; sans compter tous ceux qui venaient pour ses enfants mais qui, comme elle le disait, « se servaient » sur elle au passage. Lors de ces confessions au juge, elle pleurait, beaucoup. Regrettait, énormément. Puis elle se redressait, respirait un bon coup, prenait son courage à deux mains et se lançait dans d'autres détails, de plus en plus sordides, de plus en plus intimes : « C'est pour mes enfants que je vais vous dire la vérité ! », clamait-elle. Et lorsque l'interrogatoire était terminé, elle rentrait dans sa cellule, prenait un bloc-notes et écrivait à son juge. Ce juge qui l'écoutait comme on ne l'avait jamais écoutée ; c'est en tout cas le sentiment qu'elle avait. Et dans ces courriers-fleuves, elle en rajoutait encore.

Myriam Badaoui n'avait pas de pudeur. Elle n'était pas comme les Legrand. Elle ne disait pas « ça » quand elle parlait des viols. Elle ne cillait pas en disséquant les scènes, en les mettant en paroles et en images.

Le juge Burgaud avait également lu les dépositions des enfants. Claires, précises. Eux aussi avaient les mots pour raconter. Car ils étaient nourris, depuis tout petits, de films pornographiques qui tournaient en boucle dans le salon familial et qu'ils regardaient sans s'en offusquer, comme d'autres enfants regardent un Disney, parce que leurs parents à eux ne leur proposaient rien d'autre. Ils n'imaginaient pas qu'il puisse exister d'autres manières d'occuper des petits ou de les aimer. Dans un jour de clémence, Thierry Delay avait même offert au « bougnoule » un cadeau. Ce n'était pas si souvent que son beau-père était gentil avec lui, alors Charly avait pris avec grand plaisir le paquet enveloppé dans du papier doré. Il l'avait ouvert et avait découvert un film X. Pour s'initier aux rudiments, avait expliqué Thierry. C'était à Noël. Charly avait six ans.

Le bureau du juge était donc devenu un dépotoir, un réceptacle d'immondices, de verbes crus et d'images pornographiques qui étaient allés s'effondrer sur les murs de cette petite pièce anonyme et sans chaleur. Une pièce témoin, comme tant d'autres dans ce palais de justice, de toute l'étendue de la misère humaine.

Mais le juge tenait bon. Il questionnait sans relâche, il demandait des noms, il réclamait toujours plus de détails. Il avait la réputation d'être un peu droit dans ses bottes, mais sérieux. Il ne lâcherait pas le morceau comme ça.

Les aveux de David Delplanque en sont l'illustration.

Arrêté le 6 mars 2001, David Delplanque avait avoué avoir pratiqué l'échangisme : parties à quatre avec Aurélie Grenon, sa compagne, et leurs voisins de palier, Myriam et Thierry. Puis il avait raconté comment, un jour, les enfants s'étaient retrouvés eux aussi dans le salon des Delay...

Le jeune homme, vingt-huit ans, avait mollement confirmé la culpabilité des sept autres personnes qui avaient été jetées en prison en même temps que lui. Puis, avant que ne soit organisée la « deuxième vague » d'arrestations, vague dont allaient faire partie les

Legrand, il avait tout aussi tièdement déclaré que ces nouveaux suspects étaient coupables eux aussi. Sauf pour Alain Marécaux, Odile Marécaux, Daniel Legrand père et Daniel Legrand fils.

Mais, ça, ça n'était pas possible : Myriam Badaoui et Aurélie Grenon avaient, quant à elles, impliqué les Legrand et les Marécaux. Donc, David Delplanque, qui se reconnaissait coupable des mêmes faits, ne pouvait pas ne pas les avoir rencontrés.

Le juge interrogeait le jeune homme. Sa réponse était sans appel : « Je ne connais pas Daniel Legrand et Alain Marécaux. »

Le juge insistait : « Comment expliquez-vous que Mme Badaoui précise qu'étaient présents en même temps que vous Daniel Legrand et Alain Marécaux ? »

Réponse : « Je ne sais pas. »

Troisième tentative du juge : « Aurélie Grenon confirme les déclarations de Mme Badaoui. Sachant que vous étiez le concubin d'Aurélie Grenon, comment expliquez-vous que vous ne reconnaissiez pas Daniel Legrand et Alain Marécaux comme ayant participé aux faits ? »

Réponse : « Je ne connais pas de personnes s'appelant Daniel Legrand et Alain Marécaux. »

Fabrice Burgaud reformulait : « Avez-vous peur de Daniel Legrand et Alain Marécaux ? »

Réponse : « Non, comme je ne les ai jamais vus. »

Cinquième essai : « Avez-vous été menacé par Daniel Legrand et Alain Marécaux ? »

Réponse : « Non, je vous dis que je ne les connais pas. »

Le juge Burgaud passait donc aux cas moins compliqués du taxi Martel, de l'abbé Dominique Wiel... tous bien connus de la Tour du Renard et que David Delplanque connaissait depuis longtemps : ceux-là, acquiesçait le jeune homme, c'est vrai, ils étaient coupables.

Le juge revenait à la charge, pour la sixième fois, sur les Legrand : « Il ressort des investigations que Daniel Legrand père, dit Dany Legrand, et son fils ont également participé aux faits de viols. Êtes-vous bien certain qu'ils n'ont pas participé aux faits de viols ? »

David Delplanque capitulait : « En fait, ça me dit quelque chose. Le père est grand et fort rasé. Il venait avec un jeune, mais je ne savais pas que c'était son fils. Ils ont participé aux faits. »

Daniel Legrand père n'est ni grand, ni fort rasé, ni même rasé du tout. Mais tant pis : David Delplanque se souvenait enfin de lui. Il donnait même quelques précisions : l'homme – celui que, pour un peu, il aurait presque oublié – était – ça, en revanche, il s'en souvenait très bien – la tête pensante du réseau. « Il dirigeait Thierry. »

Le juge interrogeait : « Comment pouvez-vous dire qu'il était à la tête du réseau ? »

Heureusement, le jeune homme était fin observateur : « Il était le plus souvent avec Thierry, en train de faire des messes basses et tout ça... »

Argument de choc s'il en fallait. Il précisait également qu'il fallait payer pour avoir des relations sexuelles avec les enfants, et que c'était Daniel Legrand qui récoltait l'argent. David Delplanque donnait ensuite tous les détails, et ils étaient nombreux, sur la façon dont les Legrand père et fils commettaient leurs méfaits, sur qui, avec quoi, comment, etc.

Bref, beaucoup de souvenirs, beaucoup de précisions, concernant une personne qu'il avait affirmé, par cinq fois, ne pas connaître, avant de se rappeler : « En fait, ça me dit quelque chose... »

David Delplanque, lors du même interrogatoire, finira également par se souvenir d'Alain Marécaux...

Pour Aurélie Grenon, cela avait été tout de même moins poussif.

Peau diaphane, visage fin, grands yeux clairs, la jeune fille de vingt et un ans s'alignait depuis le début sur les déclarations de Myriam Badaoui. Autant cette dernière avait un répertoire émotionnel très étendu – pleurs, colères, minauderies et tremblements –, autant celui de la jeune fille était linéaire : Aurélie Grenon explorait principalement le registre monocorde de la pleurnicherie. Un rien lui faisait sortir son mouchoir.

Un mois avant d'arrêter les Legrand, le juge d'instruction lui faisait subir un interrogatoire et demandait d'entrée de jeu : « Vous avez déclaré que des personnes venaient chez vous pour vous menacer. Ne s'agissait-il pas de Daniel Legrand ? » La question avait le mérite d'être directe. Et tant pis si la formulation induisait totalement la réponse, méthode pour le moins curieuse. Mais Aurélie Grenon n'était pas du genre à se laisser influencer, enfin, pas tout le temps. Elle tordait son mouchoir entre ses doigts : « Je ne connais pas de Daniel Legrand. »

Le juge insistait, redemandait, formulait différemment. La jeune fille reniflait puis lâchait finalement : « Je ne voulais pas vous dire que Daniel Legrand avait participé aux faits car j'ai peur de lui. C'est bien lui qui est venu chez moi me menacer... Il m'a dit que, si je parlais ou que je disais quelque chose le concernant, il me retrouverait et qu'il m'aurait envoyée au cimetière. Il filmait les viols des enfants, il prenait aussi des photos des viols des enfants. »

En essuyant quelques larmes, elle entrait ensuite dans le détail des sévices. Quant au fils, elle affirmait qu'il participait aussi aux faits et qu'il était toujours avec son père.

L'interrogatoire terminé, Aurélie Grenon se levait, rangeait son mouchoir, saluait le juge, fermait la porte derrière elle et redescendait les marches du tribunal. Un mois plus tard, les policiers arrêtaient les Legrand. Et le juge rouvrait sa porte, interpellant le jeune Daniel : « Réfléchissez bien, monsieur Legrand, on a relâché une personne qui a avoué... »

Aurélie Grenon. Libre depuis août 2001.

Daniel Legrand FILS
Route de Loos-lès-Lille
16 novembre 2001

Il fait nuit. La voiture s'éloigne du palais de justice. Puis elle quitte Boulogne. C'est fini. J'ai vu le juge d'instruction, j'ai vu le juge des libertés. Et on s'en va. Et mon père aussi est parti.

Je suis assommé. C'est le désordre dans ma tête. Je pars en prison. Je m'en vais pour vingt ans. C'est terrible. Je demande aux policiers : « Si je n'ai rien fait, ça peut durer combien de temps ? » L'un d'entre eux me répond : « Minimum quatre mois. » C'est ce que m'a dit le juge tout à l'heure : « Quatre mois d'enquête », sauf que, lui, il a ajouté : « Et vingt ans de prison. » Ce chiffre-là me revient sans cesse dans les oreilles, il m'obsède. « Mais je vais faire quoi, en prison ? » Un autre policier rigole : « Ben, tu méditeras. »

Dans quel monde je pars ?

Je les entends discuter entre eux, ils parlent de fruits de mer, de vins, de restaurants. Demain, c'est le week-end, ils rigolent, ils sont contents. La voiture roule vite. C'est quoi le délire ?

« Réfléchissez bien, monsieur Legrand, on a relâché une personne qui a avoué... »

Qu'est-ce qu'il m'arrive ?

« À Loos ! »

Là-bas, comment ça va se passer avec des accusations pareilles ?

« Je vous conseille de ne pas montrer votre mandat de dépôt... »

Le procureur, les juges, les policiers, les gardiens, l'avocate, les photos, les enfants, les fermes, le clac des menottes sur mes poignets, les cellules, la gifle, les coups de poing dans les portes, les interrogatoires, et toutes ces saletés, tous ces viols, j'ai envie de crier : « J'ai juste vingt ans ! » Le policier, celui qui est gentil, me regarde : « Ne demande pas à ta famille de te ramener trop d'affaires en prison. Sinon tu vas te les faire racketter. » La voiture s'arrête, ils vont prendre de l'essence. Le policier m'achète un Coca. Il me le tend, il me dit : « Allez, va, t'inquiète pas : ça ira... »

Ça ira...

Mon père, ma famille, je voudrais les retrouver. À tout prix, je voudrais les retrouver. C'est un déchirement. Ils sont en train de déchirer ma famille. Pour vingt ans ? Ce n'est pas possible.

D'où je pars et où je vais arriver ?

Ça fait plus d'une heure qu'on roule, on s'éloigne de plus en plus de chez moi. C'est terrible : je pars en prison.

En prison...

Daniel Legrand PÈRE
Route d'Amiens
16 novembre 2001

« Votre fils part sur Loos. » Je les ai tellement emmerdés, je voulais tellement savoir où était mon gamin, je me disais que peut-être lui au moins ils l'avaient relâché, j'ai tellement insisté, qu'ils ont fini par répondre : « Votre fils part sur Loos. »

Loos... Donc ils l'emmènent aussi. Ils l'ont gardé. C'est pas possible... Les flics sont pressés, on roule vite, le son du gyrophare me tape sur le système, mes poignets gonflent à cause des menottes dans le dos. Loos, c'est une prison près de Lille, elle est connue. Mauvaise réputation. Je sais ce que ça veut dire. C'est pas bon pour lui. C'est pas bon pour mon gosse : c'est la pire chose qui pouvait m'arriver.

Ils m'emmènent à Amiens. Il faut prendre l'autoroute. Et là, dans le virage, juste avant l'entrée, à Saint-Martin-Boulogne, le petit pavillon beige : c'est la maison de Peggy ! On va passer devant, je la vois déjà, il fait nuit, on est de plus en plus près, il y a de la lumière au rez-de-chaussée, je dis : « Je ne peux pas m'arrêter chez ma fille pour prendre des vêtements ? »

Nadine, Peggy, les gosses, ils sont tous là, parce que en ce moment, c'est chez Peggy qu'on habite. Mais non, on ne peut pas, ils ne veulent pas. Je regarde les lumières du rez-de-chaussée, j'essaie de les voir : si seulement quelqu'un s'approchait de la fenêtre, si seulement...

Mais la maison s'éloigne. On est entrés sur l'autoroute. La maison a disparu. Je ne la vois plus.

Qu'est-ce qu'il nous arrive ?

Chez Peggy, dans la petite maison beige de Saint-Martin-Boulogne, au rez-de-chaussée, on attendait le fils en se demandant ce que devenait le père.

Deux jours plus tôt – mercredi 14 novembre, jour de l'arrestation des Legrand – à 7 heures du matin, on sonnait à la porte. Peggy allait ouvrir : c'était son père. Il l'embrassait puis allait directement coller ses mains sur le chauffage. Nadine, sa femme, s'étonnait : « Tu as l'air d'avoir froid, qu'est-ce qu'il se passe ? » Daniel Legrand bougonna un peu, mais comme sa fille et sa femme insistaient, il finit par avouer : il avait dormi dans la voiture.

À cette période, le couple Legrand vivait chez Peggy ; mais, le soir, le père Legrand partait dormir chez sa belle-sœur Laurence car la maison de sa fille n'était pas assez grande, surtout avec deux enfants en bas âge. Or, la veille, Laurence n'était pas rentrée de la nuit et Daniel n'avait pas la clé. Il était donc revenu chez Peggy, mais une fois devant la porte il n'avait pas osé sonner : « Ça aurait réveillé les petits gosses et tout ça. » Sans doute aussi s'en voulait-il, mais ça il ne le disait pas, d'avoir perdu la maison et d'avoir à déranger les membres de sa famille en attendant un logement social. Alors il s'était bien calé dans sa vieille Citroën et y avait attendu le sommeil, il n'y avait pas de quoi en faire un drame, d'ailleurs il avait très bien dormi. Tout le monde voyait bien à sa mine que ça n'était pas vrai, on le disputait, « Passer la nuit dans la voiture, ce ne sont pas des manières ! », surtout avec ses problèmes de dos, puis on le laissait tranquille. Après avoir fait un brin de toilette, déjeuné, embrassé les enfants qui partaient à l'école, demandé cent francs à Nadine pour acheter de l'essence, Daniel Legrand s'en allait au travail, il était un peu en retard comme d'habitude. Et comme chaque matin, il lançait à sa femme : « À ce soir ! »

Dans la matinée, Nadine accompagnait sa fille et sa petite-fille chez le pédiatre. En revenant, les deux femmes étaient surprises : quatre ou cinq hommes attendaient sur le perron, d'autres étaient déjà entrés dans la maison. À peine sorties de voiture, « Vous êtes bien Nadine Legrand ? », on les emmenait à l'intérieur, « Police judiciaire ! », badges et perquisition.

Après avoir investi tous les étages, ouvert tous les placards, et les avoir pressées de questions, les policiers annoncèrent la nouvelle aux deux femmes : Daniel Legrand, le fils, avait été arrêté. Pourquoi donc ? Le policier toussota et jeta un petit coup d'œil gêné vers l'adolescent qui, depuis le début, assistait à toute la scène : Grégory, quatorze ans, le petit frère de Daniel. Il avait ouvert la porte aux policiers et, questionné, leur avait dit : « Non, désolé, il n'y a pas de Dany Legrand ici. » En se détournant du garçon et en baissant un peu la voix, le policier annonça : « Votre fils Daniel a été arrêté pour une affaire de mœurs. » Nadine ne connaissait pas cette expression, elle crut un moment que le policier avait dit « affaire de meurtre », mais elle savait que ça n'était évidemment pas possible, alors elle se tourna vers sa fille. Peggy lui expliqua : « Affaires de mœurs, maman : les viols et puis tout ça... » Nadine cria : « Ça ne va pas, la tête ? » Peggy se leva et menaça les policiers : « Vous ! N'allez pas raconter ce que vous venez de nous dire à tous ceux qui connaissent mon frère et qui savent à quel point il est gentil ! »

Peggy a les mêmes yeux bleus que son frère Daniel, la même douceur au fond du regard. Mais, comme son père, elle n'est pas du genre à mâcher ses mots. Mme Legrand aime sa famille comme une louve et n'imagine même pas qu'il puisse en être différemment dans les autres foyers. À la question des policiers : « Comment se comporte votre mari ? », elle répondit donc : « Mais comment voulez-vous qu'il se comporte ? Comme tout homme, comme tout père de famille ! » On lui demanda ensuite si son époux avait un surnom, elle répondit non, on lui posa la même question pour son fils, elle répondit : « Paul Ince ». Elle dut ensuite expliquer qui était Paul Ince.

Tandis que les policiers repartaient déjà, Nadine se tourna vers sa fille : « Ça ne va pas du tout, cette histoire. On va attendre que papa revienne. Il saura ce qu'il faut faire, on ira voir avec lui ce qui se passe pour Daniel. » Car, curieusement, on ne lui avait pas annoncé que son mari avait été arrêté lui aussi. Elle attendit son retour toute la journée. Jusqu'à ce que Bruno, le mari de Peggy, rentre des établissements Delattre où lui aussi travaillait, comme son beau-père. À peine était-il entré qu'il lançait aux deux femmes en pleurs : « Mais qu'est-ce qui se passe ? Pourquoi le père a été arrêté ? »

Malgré la stupeur générale, Nadine trouva la force de téléphoner au commissariat de Boulogne-sur-Mer. On lui fit savoir qu'il n'y avait aucun Daniel Legrand chez eux. Peggy se rappela qu'un des policiers avait dit à son collègue avant de partir : « Moi, je file sur Coquelles. » Coup de fil à Coquelles. Pas de Daniel Legrand. Restait Calais. Nadine appela le commissariat, on décrocha. Elle expliqua, on lui raccrocha au nez. Nadine se tourna vers sa fille : « Cherche pas : ils sont à Calais. »

Y a-t-il quelque chose de spécial chez les parents Legrand ? Daniel avait vingt ans, mais il était très attaché à eux et avait viscéralement besoin de leur présence. Frédéric et Grégory amenaient tous leurs copains à la maison. Quant à Daisy et Peggy, elles avaient quitté le domicile, mais il ne se passait pas un jour sans qu'elles fassent un crochet par le pavillon de Wimereux, du temps où leur père et leur mère l'avaient encore, pour aller embrasser ces derniers. Au début, Bruno râlait un peu : il en avait assez de voir sa femme aller tous les jours chez ses beaux-parents. Puis finalement, il y avait pris goût aussi, il restait des heures à discuter avec le père Legrand. Et Peggy devait parfois lui téléphoner pour lui dire qu'il était attendu à la maison.

Les Legrand étaient bien ensemble. Tout simplement, ils s'aimaient. Ils ne se le disaient pas forcément, mais ils le vivaient. Et dans les coups durs, ils s'épaulaient. Lorsque Nadine avait eu, l'année précédente, son problème d'artérite, et que l'on avait dû lui amputer des orteils, pendant un mois, sa chambre d'hôpital n'avait pas désempli : ses cinq enfants restaient avec elle presque toute la journée, son mari la rejoignait dès qu'il finissait le travail, il restait jusque tard dans la nuit. Et les infirmières disaient : « On ne voit pas souvent ça. »

La nouvelle de la double arrestation fit donc l'effet d'une bombe. Ils étaient sous le choc. Ils n'y comprenaient rien. Ils savaient juste qu'il s'agissait d'une affaire de mœurs. Ils étaient démunis : ils n'avaient jamais eu affaire à la justice, ils ne savaient pas qui appeler, quoi faire, que penser, où demander de l'aide.

La nuit du mercredi 14 novembre, évidemment, personne ne réussissait à trouver le sommeil. Le jeudi 15 s'écoulait dans une angoisse grandissante : on tentait de mettre du sens dans ce qui n'en avait pas, on échafaudait mille théories sur le pourquoi du comment, on se disait qu'ils avaient dû arrêter tous les Daniel Legrand du pays. La nuit ne fut pas meilleure que la précédente. Le lendemain, vendredi, ce n'est que le soir qu'ils reçurent enfin un coup de téléphone : « Je suis maître Duport, l'avocat commis d'office de Daniel Legrand... le père. »

Maître Duport annonça à Nadine que son époux

venait de voir le juge d'instruction et qu'il allait être incarcéré à Amiens. Elle trembla en s'écriant : « Ils sont en train de faire une immense erreur judiciaire ! » L'avocat ne lui avait pas précisé que son mari était accusé de viol, encore moins de viol sur mineurs. Nadine continua en affirmant que son époux était toujours au travail, que sinon il restait à la maison, qu'il ne sortait jamais, que c'était un homme bon et honnête, que... L'avocat lui dit que oui, certainement, mais que là, il n'avait pas trop le temps et que l'on verrait ça plus tard. Avant qu'il ne raccroche, Nadine réussit à lui poser une dernière question : « Et pour mon fils ? » Maître Duport lui répondit qu'il n'en savait rien car, en ce moment même, le jeune homme était en train de passer devant le juge des libertés et de la détention.

Nadine ne savait pas très bien ce qu'était un juge des libertés et de la détention. Mais elle saisit cette maigre information comme un immense espoir : peut-être allait-elle voir son fils ouvrir la porte. Peut-être allait-il revenir, là, dans quelques dizaines de minutes...

Ce vendredi soir, dans la petite maison beige de Saint-Martin-Boulogne, tout le monde s'était installé au rez-de-chaussée, les lumières étaient allumées, il y avait des pleurs, personne n'avait envie de dîner. On attendait le fils tout en se demandant ce que devenait le père.

Le père qui venait tout juste de passer devant les fenêtres, avant de disparaître sur l'autoroute, emporté vers Amiens.

Daniel Legrand PÈRE
Amiens
16 novembre 2001

J'arrive à la prison d'Amiens. Il est tard, il fait nuit, on longe un grand mur avec des miradors dans les coins. La grande porte d'entrée s'ouvre lentement. Descendre de voiture, suivre les flics, regarder les cadenas s'ouvrir devant soi et écouter les grilles claquer derrière. Marcher dans des couloirs vides à la suite d'un gardien, avec tous ses trousseaux de clés à la ceinture, passer une porte, une autre. Encore une. Donner à des gens qui ne vous sourient pas tout ce qui fait votre vie : permis de conduire, carte d'identité, le peu de biens que vous avez encore. Tout ça parce qu'ils se sont trompés. Pour rien, pour rien du tout.

Comment je fais pour ne pas devenir fou ?

Ils me fouillent. Les policiers l'avaient déjà fait, mais ils me fouillent encore, ils prennent ma sacoche de travail. Je les regarde ouvrir ma gamelle, celle que j'avais apportée mercredi matin pour ma journée de chantier. À l'intérieur, il est toujours là : le sandwich que Nadine m'avait préparé, au beurre et au fromage. Mais ils jettent tout à la poubelle. Alors que le fromage, il se conserve, franchement ! Et je repense aux tartines de la garde à vue : les flics auraient pu me donner le sandwich de Nadine, c'était cent fois meilleur que leur pain sec.

Un gardien me tend du linge : linge de corps, draps, couverture. Un sac en plastique aussi, avec mon souper à l'intérieur. Il me demande : « Vous êtes là pour quoi ? » Je lui réponds : « Mais je ne sais pas ! » Il me regarde l'air de dire : « Il se fout de ma gueule, celui-là... » Et puis on m'amène encore dans un autre couloir, derrière d'autres portes et d'autres serrures. À l'accueil, je remplis des papiers. Et je demande à téléphoner à ma femme. Je voudrais lui parler, lui dire : « Nadine, tu sais, je suis à Amiens, en prison... Et notre fils, Nadine, notre fils, ils l'ont mis à Loos... » *Niet*. Ils me répondent que je n'ai pas le droit de téléphoner. Pas le droit de parler au fils, pas le droit de parler à la femme. Pas le droit de rentrer chez moi. Je n'ai plus droit à rien.

Encore un autre type. Il me conduit jusqu'à une cellule, il me dit que c'est « la cellule des arrivants ». J'entre. Ils sont trois. Et le cachot n'est pas grand, dix mètres carrés au plus. La porte se referme. Je suis épuisé, c'est le coup de massue, je trouve un coin pour m'asseoir. Je me frotte les poignets, ils sont encore tout gonflés à cause des menottes dans le dos. Et là, je lève la tête, à la télé, ils sont en train de dire que plusieurs personnes ont été arrêtées pour une affaire de pédophilie : ce sont les actualités du soir. Maître Duport apparaît, il dit que son client clame son innocence. Mais déjà, le reportage est terminé. On n'a pas dit mon nom, on ne m'a pas vu, c'est déjà ça et les trois prisonniers n'ont pas eu l'air de faire le rapport avec moi. Surtout, j'évite de parler. Il y en a un qui me demande si je n'ai pas une cigarette, alors je lui en donne une. Mais c'est tout. Je ne veux pas raconter mon histoire, ni écouter celle des autres. Je suis fatigué, j'ai faim.

Je me souviens qu'on m'a donné un sac en plastique. Je l'ouvre. À l'intérieur, c'est juste un morceau de pain, mais du genre caillasse. Je goûte. Et je le mets direct à la corbeille : c'est tellement dur que je n'ai pas osé l'ouvrir pour voir s'il y avait quelque chose dedans. Du pain rassis de trois jours au moins. Je n'ai que des tartines dans le ventre, mais je ne peux quand même pas avaler ça. Tout à coup, je vois un des types se lever de son lit et se mettre à fouiller dans la poubelle. Je suis suffoqué : il a ramassé le bout de pain. Et voilà qu'il le mange sans se poser de questions, il s'est jeté dessus. Ça me fait un choc : alors comme ça, il y a des malheureux ici aussi...

Et voilà que le gardien revient me chercher : il y a trop de monde dans cette cellule, et pas assez de lits, alors il m'emmène ailleurs, dans un cachot à côté, où il n'y a qu'un seul détenu. J'entre, je regarde autour de moi, c'est toujours aussi triste. Le type commence à me poser des questions, je réponds que j'ai été incarcéré pour une affaire dans laquelle je suis innocent. Je ne lui en dis pas plus. Il se retourne sur son lit et il se rendort.

Je suis crevé, je n'ai plus de forces, plus rien. Je n'ai pas dormi grandement, pas mangé grandement. Ce sont des lits superposés, je monte sur ma couchette. Je voudrais dormir, enfin. Mais les pensées sont dans la tête. Je ne sais pas quand je vais pouvoir sortir. C'est ça, le pire. Je me dis que ce n'est pas possible, que dans quinze jours au plus je serai dehors. Ils vont enquêter, ils vont bien voir qu'il y a un problème. Je redescends, je n'arrive pas à me calmer, je suis énervé, je piétine. C'est pas tout d'incarcérer les gens, mais il faut quand même faire des enquêtes. Il faut qu'ils aillent chez Delattre, ils verront bien que j'y travaille à plein temps, sans compter les heures sup ; donc c'est tout de suite vu : je n'ai pas le temps d'aller en Belgique, pas le temps d'avoir un sex-shop, pas le temps ni le vice pour toutes ces conneries. Je tourne en rond, il y a des types qui braillent pas loin. Et à Loos ? Comment c'est, là-bas ? Comment ça se passe pour mon fils ? Comment je vais faire pour avoir de ses nouvelles ?

S'ils me le cassent, bon sang, s'ils me détruisent le gamin...

Si seulement je pouvais parler à Nadine, qu'elle s'en occupe, qu'elle voie ce qu'il se passe avec Daniel. La tête me tourne, il faut que je m'allonge. Il faut tenir. Faut pas devenir fou...

Daniel Legrand FILS
Loos-lès-Lille
16 novembre 2001

Je regarde le plafond. C'est le plus grand choc que j'aie jamais eu : je suis en prison. J'entends des voix. Des rires, des mots vulgaires, des insultes qui résonnent partout. Le plafond est écaillé. Je pourrais même le toucher avec les mains si je voulais : je suis couché au deuxième étage d'un lit superposé, en haut. En bas, il y a un homme, je ne sais pas trop s'il dort.

Plein d'images défilent. Dans ma tête ou peut-être sur le plafond, je ne sais plus, mais ça m'envahit : les images de ce qui s'est passé depuis deux jours, de ce qui se passe en ce moment même, de tout ce qui se passera peut-être demain. Surtout de ce qui se passera demain. Tout ça se mélange. C'est le désordre. Il y a même des souvenirs de la marée de moules qui me reviennent, de l'entraînement de foot au début de la semaine, de mes copains qui plaisantent. Mon père n'est plus à côté de moi, comme pendant la garde à vue. Je ne sais même pas où ils l'ont mis. Ah si : à Amiens. C'est terrible : je ne connais même pas Amiens. Je suis tout seul. C'est le choc. Je lève la main vers le plafond. Je m'aperçois d'une chose : je tremble.

L'homme en bas se met à ronfler. C'est un P-DG d'une cinquantaine d'années, il travaille dans l'automobile. Il est là pour recel de voitures, il a fait le coup avec des gitans. Je l'ai écouté me raconter sa vie, il est arrivé juste après moi dans la cellule. Il est plutôt sympa. Enfin, c'est un voyou quand même. Un voleur. Mais lui au moins, pas de « *i* entre le v et le o ». Alors comme ça, des gens de n'importe quel milieu peuvent se retrouver entre les quatre murs d'une prison ?... Un fils d'ouvrier avec un P-DG... C'est bizarre, je ne savais pas. Lui, en tout cas, il a l'air de reconnaître ses actes.

« Actes de pénétration sexuelle sur mineurs de quinze ans » : ça, c'est moi.

J'ai aussi : « Enregistrement et diffusion d'images pornographiques de mineurs. » Tout ça, c'est écrit sur mon mandat de dépôt. Là-bas, au palais de justice de Boulogne-sur-Mer, le procureur m'a conseillé de ne pas le montrer. Et quand on est arrivés à Loos, le policier qui m'a sorti de la voiture m'a dit : « Ton mandat de dépôt, on va le laisser ici, on va le garder pour t'éviter d'avoir des problèmes avec les gardiens et les détenus. » Sauf que ça ne s'est pas passé comme ça. Pas du tout.

On est descendu de voiture, on a franchi la grande porte, longé un couloir, monté un petit escalier et, par une porte, j'ai même vu un costaud s'entraîner avec des haltères. Puis on est arrivés à l'accueil. Et là, le gardien m'a regardé de bas en haut. Il s'est retourné vers les policiers et il a dit : « Moi, il me faut son mandat de dépôt. » Alors l'un d'entre eux est retourné à la voiture. Il a ramené la feuille, il m'a jeté un coup d'œil : il avait l'air désolé. Je regarde le plafond et je me dis que je suis peut-être déjà à moitié mort : je vais avoir des problèmes ici, c'est sûr, parce que même le procureur et les policiers ont conseillé de ne pas montrer ce bout de papier... J'ai envie de vomir. Après avoir lu « actes de pénétration sexuelle sur mineurs de quinze ans », etc., le gardien a levé la tête, il m'a observé, il a dit : « Vous, vous avez plutôt une tête de voleur. » Décidément, chacun y va de son petit pronostic. « Je suis innocent ! » : ça ne m'a servi à rien, jusqu'à maintenant, de crier ça... Alors je n'ai rien dit. Une tête de voleur, c'est ça, si tu veux. N'oublie pas le *i* entre le v et le o...

Tout est décrépi ici. Le plafond et tout le reste. Je l'ai tout de suite vu, dès le parking de la prison. J'étais debout, les menottes dans le dos, près de la voiture et je regardais. Dans la nuit, je devinais ces bâtiments, vieux, sombres, lugubres. Ce n'est pas neuf, Loos, ce n'est pas comme dans les séries américaines. Aux petites fenêtres avec les barreaux, il y avait encore de la lumière, je pensais à tous ceux qui étaient là-dedans : il y en a qui doivent être là pour des choses abominables, et, moi, je vais devenir un des leurs. C'est ça que je me disais : je vais devenir un des leurs. Le policier qui me tenait par les bras m'a lancé d'un ton rassurant : « Allez, on y va. » Alors on y est allés : la grande porte, le petit escalier, le type aux haltères, le gardien, « Moi, il me faut son mandat de dépôt ». Mandat de dépôt... Il y a deux jours, je ne connaissais même pas ce mot-là. C'est comme « juge des libertés et de la détention ». Moi, je ramassais les moules, je regardais la mer, je rêvais de foot. J'étais Paul Ince. Pas Dany Legrand.

« Cellule des arrivants », ça non plus, je ne connaissais pas. Le gardien m'a dit que ça s'appelait comme ça. Il a ouvert la porte, je suis entré. Ah bon, c'est ça, une cellule des arrivants ? Pas très différente de celle qu'il y avait en garde à vue. Glauque, quoi. Il n'y avait personne. On m'a donné un plat de riz pour le souper. J'avais faim, ce n'était pas terrible. J'ai tout mangé. Et puis le P-DG est arrivé. Il m'a raconté son histoire. Maintenant ça y est, je l'entends : il vient de s'endormir. Peut-être parce que, lui, il sait pourquoi il est là. Ça doit soulager, d'être coupable. « Réfléchissez bien, monsieur Legrand, on a relâché une personne qui a avoué... » Au moins, si j'étais coupable, je n'aurais pas tous ces « pourquoi ?... pourquoi ?... pourquoi ?... » qui m'obsèdent. Mais je ne lui ai rien raconté, au P-DG. Je crie mon innocence à l'intérieur, dans ma tête, ça me suffit. C'est entre le plafond et moi. Et puis, qu'est-ce que je pourrais bien lui expliquer ? Je ne sais déjà pas ce qui m'arrive. Alors le raconter, c'est impossible.

J'essaie de dormir comme lui. Je suis tellement fatigué. « Sortez-moi de là ! » C'est ce que je leur ai dit, aux policiers. Leur travail était terminé, alors ils retournaient à la voiture, je les ai appelés, je voulais tellement qu'ils reviennent : « Sortez-moi de là, j'ai rien fait ! Sortez-moi de là, s'il vous plaît. » Ils ont ri un peu, mais pas méchamment cette fois. Ils avaient l'air embêtés. Mais ils sont partis. Ils m'ont laissé tout seul avec la prison. Et ça m'a fait tout drôle. Eux au moins, je les connaissais. Je voulais pleurer, mais j'avais trop peur. Les larmes se sont bloquées quelque part. J'ai suivi le gardien. Je suis entré dans la jungle. Et maintenant, je regarde le plafond.

Je me sens impuissant jusque dans mon corps. Pourtant, je peux bouger, je peux respirer, mais c'est comme s'il m'échappait. Et tous ces tremblements... c'est la première fois.

Eux au moins, je les connaissais. Et mon père n'est plus là.

Le lendemain matin : samedi 17 novembre 2001.

Il est tôt. Nadine Legrand entre chez le marchand de journaux, à deux pas de chez sa fille. Elle achète *La Voix du Nord*. Elle a attendu toute la nuit, son fils n'est pas rentré. Le quotidien serré contre sa poitrine, elle se hâte, elle retourne fiévreusement chez Peggy. Son mari a été incarcéré hier au soir, les policiers lui ont dit pour une « affaire de mœurs », elle n'en sait pas davantage. Quelle « affaire de mœurs » ? Et qu'est devenu son fils ? Peggy attend sa mère, les deux femmes s'installent à la table de la cuisine. Elles ne prêtent pas attention au titre étalé en une : « 24 enfants prostitués ». Elles tournent les pages, elles cherchent le nom du père et du fils. Elles le trouvent :

« ... Daniel Legrand, patron de sex-shop à Ostende (Belgique), qui serait l'instigateur du réseau et son fils Daniel, plus connu dans le milieu sous le nom de Dany... »

Il faut quelques instants pour réaliser. Pour relire. Pour revenir quelques pages en arrière, mettre toutes les pièces du puzzle dans l'ordre. Et s'apercevoir qu'on n'a pas rêvé. Sex-shop, Ostende, Dany, réseau, milieu, Legrand... tout converge vers cette image aberrante, répugnante, cette une dont elles n'avaient pas imaginé une seconde qu'elle pouvait les concerner : « 24 enfants prostitués ». Prostitués par qui ? Par leurs Daniel. Leurs Daniel à elles. L'article continue, il parle d'un huissier de justice et de son épouse, d'un prêtre-ouvrier, d'un chauffeur de taxi... tous proches des Legrand. Tous ces gens-là « ont été placés en détention, portant à quinze le nombre de personnes derrière les barreaux après le démantèlement d'un réseau de pédophilie franco-belge ».

Nadine et Peggy se regardent. L'angoisse dans laquelle elles vivaient depuis ces deux derniers jours fait place à la stupeur. Sans pleurs ni respiration. Le vide et sa violence.

Le monde, lui, est réel. Il vit encore autour d'elles. Et, à Boulogne-sur-Mer, il est plein de bruit. Explosion médiatique. Emballement et rumeurs. Cris d'horreur. On s'épouvante. Le 15 novembre, le 16, le 17, sur TF1, sur France 2, sur France 3 Nord-Pas-de-Calais, au journal de 20 heures, au 13 heures, au journal de la nuit, on parle d'« enfants prostitués par leurs parents », d'« une affaire qui éclabousse au moins seize personnes », d'« un réseau de prostitution d'enfants aux ramifications très étendues ». La presse nationale est consternée, car « les dernières arrestations ne seraient que la partie visible de l'iceberg ». On frissonne, car un spectre ressurgit : « Des faits sordides qui, même si par bonheur il n'y a pas de meurtres, dégagent certains relents d'affaire Dutroux, le réseau passe d'ailleurs par la Belgique. » Dutroux et ses fantômes... Outreau pointé du doigt devient donc cette « mini-Thaïlande » où tout est possible, le pire essentiellement : « C'est la rencontre dans l'horreur de deux mondes. L'un, miséreux, oisif et sans instruction, rongé par l'alcool. L'autre, beaucoup plus aisé et apparemment avide de déviances. » Les pauvres et les riches, avec la perversion pour trait d'union : « Depuis plusieurs mois, la rumeur courait dans la ville. On décrivait l'horreur, évoquant l'existence d'un réseau pédophile, chuchotant des noms de notables, compromis mais intouchables... Le week-end dernier, la vérité a éclaté. Six notables ont été incarcérés. »

Six notables ?

Un prêtre-ouvrier. Un poseur métallier. Son fils, au chômage. Un chauffeur de taxi. Un huissier et sa femme. Seuls ces deux derniers pourraient éventuellement prétendre à la qualification de « notables », mais on n'a pas le temps de compter et, après tout, on n'est pas à quatre notables près : l'ensemble des médias reprend l'expression. Et puis « notables », ça fait encore plus vicieux, plus nauséabond. Relents d'égouts planqués derrière le vernis. Fantasmes et fascination. Alors on donne les initiales des inculpés, puis on livre leurs prénoms, finalement leurs noms, on floute les visages mais bien souvent on oublie, on jongle entre l'indicatif et le conditionnel, mais c'est souvent l'indicatif. Comment faire autrement ? Comment ne pas être totalement et viscéralement du côté des victimes ? Un avocat des enfants Delay l'a déclaré : « Avec de telles précisions pour leur âge, ils ne peuvent pas avoir inventé. » L'émoi s'empare de la ville. De la France. Le palais de justice de Boulogne-sur-Mer vacille et essaie, tant bien que mal, de résister à cette vague émotionnelle si préjudiciable à une justice équitable. Laquelle en effet est censée devoir s'affranchir des émotions, potentiellement si trompeuses.

Curieusement, les arrestations de Myriam Badaoui et de Thierry Delay, le 22 février 2001, étaient passées totalement inaperçues ; idem pour celles des autres inculpés, survenues un peu plus tard, en mars et en avril 2001 : Aurélie Grenon, David Delplanque, Thierry Dausque, Karine Duchochois, Roselyne Godard, François Mourmand, Sandrine Lavier, Franck Lavier... Puis les « notables » sont arrêtés. L'affaire prend de l'ampleur, les médias relaient l'information. Mais qui la leur donne ? De manière plus ou moins officielle, les avocats des enfants Delay, les policiers... et le procureur de la République de Boulogne-sur-Mer, Gérald Lesigne[1]. Toutes ces sources allant plus ou moins dans le même sens, livrant un seul son de cloche : comment des enfants pourraient-ils mentir ? Et s'ils ne mentent pas, c'est donc que...

Quant aux avocats des inculpés, ils ne sont pas à même de fournir aux journalistes des éléments suffisamment solides pour étayer la défense de leurs clients, ce pour la bonne raison qu'eux-mêmes ont peu d'informations : ils ne disposent pas encore du dossier complet de l'affaire et mettront d'ailleurs plusieurs

1. Gérald Lesigne dément avoir livré des informations à la presse.

mois à l'obtenir après l'avoir réclamé à cor et à cri ; le palais de justice de Boulogne-sur-Mer manque cruellement de personnel ou de photocopieuses en état de marche pour faire les duplicatas...

Les journalistes partent donc à la pêche, s'emballent, dérapent, délirent : certains mentionnent notamment l'existence d'un sex-shop à Ostende, filmé, photographié, épié... alors que cette ville flamande n'apparaît nulle part dans la procédure. Pourtant, à aucun moment, le parquet ne démentira cette information farfelue.

Sont également contactées les familles des « notables » qui, dans un premier temps et sous le choc, ne savent pas quoi faire d'autre que de se terrer derrière leur douleur. Nadine Legrand, quant à elle, décide de partir au front ; elle est prête à répondre à toutes les questions qu'on voudrait lui poser. Un matin, elle reçoit un coup de téléphone d'un journaliste de la télévision qui lui demande si son mari possède bien un sex-shop. Elle répond que non, pourquoi posséderait-il un tel magasin, il est ouvrier depuis toujours ! Elle explique, elle ouvre son cœur, elle voudrait tellement qu'on la croie. Mais Nadine a perçu le rire du journaliste à la fin de la conversation. Elle se demande s'il s'est moqué d'elle, elle en fait part à sa fille. Peggy l'interroge : « Mais qu'est-ce qu'il t'a demandé ? – Il m'a demandé si papa avait un sex-shop. J'ai répondu la vérité : qu'il n'en a pas, évidemment, mais qu'on y est allés une fois, pour rendre la cassette qu'on avait achetée : la bande était abîmée, tu te souviens ? » Peggy s'étrangle. Elle explique que oui, elle se souvient très bien ; mais que non, maman, ce n'est pas ça, un sex-shop ; qu'elle a confondu avec le vidéoclub où ils avaient acheté *Titanic.*

Titanic, le film préféré de Nadine. Elle pleurait chaque fois qu'elle le voyait, alors son mari avait fini par le lui offrir...

Nadine la romantique, à des années-lumière de cet univers sordide, de ce gouffre ouvert par l'arrestation de son mari et de son fils : « Je ne savais pas que ça pouvait exister, des choses pareilles »...

Cette même Nadine que Myriam Badaoui, devant le juge, affirmait si bien connaître. Un jour, avait-elle confié à Fabrice Burgaud, l'épouse du chef de réseau avait frappé à la porte de son salon. Elle venait partouzer[1]...

---

1. Nadine Legrand ne sera pourtant jamais convoquée par le juge Fabrice Burgaud, elle ne sera jamais interrogée sur ses éventuels liens avec Myriam Badaoui.

Daniel Legrand PÈRE
1er jour de détention, Amiens
17 novembre 2001

Toute ma vie, j'ai travaillé. Quand j'ai arrêté l'école, je suis devenu aide ferrailleur, du côté de Saint-Léonard, près de Boulogne-sur-Mer. J'avais quatorze ans. On était sept frères et sœurs à la maison. Trois filles et quatre garçons, moi je suis le deuxième. Mon père, Marcel, je l'ai toujours connu à trimer, il était cassé par son métier mais il n'était pas du genre à se plaindre : pour être maçon, il faut être solide, et il l'était. Ma mère, Jeanine, s'occupait de nous et il y avait de quoi faire. C'était une bonne épouse et une bonne mère, elle était toujours là pour nous. On ne manquait de rien, même si ce n'était pas facile tous les jours. Comme je n'aimais pas spécialement l'école, j'ai décidé d'arrêter et de travailler, pour aider un peu. Trois ans plus tard, j'ai eu un CAP de serrurier et je suis entré chez Delattre. Aujourd'hui, j'ai combien ?... quarante-neuf ans... donc j'ai passé presque toute ma vie dans la même entreprise. Presque toute ma vie, aussi, avec Nadine.

J'avais dix-neuf ans quand je l'ai rencontrée. C'était

un dimanche, au bal de Wimereux. Elle était sur le bord de la piste, j'ai pensé : « Elle est belle ! », donc je l'ai invitée à danser. C'était un slow, je me souviens... Le dimanche d'après, je l'ai cherchée, elle était revenue, je n'attendais que ça : je l'ai invitée encore. L'autre dimanche, pareil. Et on s'est mariés. Elle travaillait pour un propriétaire de parc à moules. Le week-end ou le soir après l'usine, j'allais faire les marées avec elle. À l'époque, j'économisais tout ce que je pouvais pour m'acheter une barque de pêche, histoire d'avoir un peu de loisirs pendant les congés. Et puis un jour, c'était fait, je l'ai mise à flot : une belle barque verte en contreplaqué. On l'a appelée *Kergané* et elle était à moi, bien à moi, et aussi à Philippe, un copain du boulot : on s'était mis à deux pour l'achat. Des carrelets, des soles, des morues, des araignées... j'étais content de pouvoir ramener tout ça à la maison. Il faut souvent se lever de bonne heure ou bien sortir tard le soir pour aller lever les filets, mais j'aime bien la pêche. Ça détend.

Quand les deux frères et la belle-sœur de Nadine se sont tués dans leur accident de voiture, Daisy et Peggy étaient déjà nées. Nadine m'a demandé si je voulais bien recueillir les orphelins, j'avais vingt-cinq ans, j'ai dit oui et elle, elle s'est arrêtée de travailler pour pouvoir s'en occuper. Puis nos garçons à nous sont arrivés : Daniel, Frédéric et Grégory. Ça faisait du monde sous le toit. Moi, je ramenais le pain. J'ai fait ça toute ma vie : ramener le pain à la maison. C'est normal. C'est le rôle d'un homme.

Aujourd'hui, tout s'écroule : à quoi ça sert, un chef

de famille entre quatre murs ? À rien. Je ne sers plus à rien. Ça aussi, ils sont en train de me l'enlever : ma fierté, celle de ramener le pain à la maison.

Hier soir, c'était ma première nuit en prison, j'ai finalement réussi à m'endormir. Dès que je me suis levé, la première chose à laquelle j'ai pensé, c'est ça : il faut que je travaille. Même si je ne reste que quinze jours ici. Parce que, sans mon salaire, comment elle va faire, Nadine, pour s'en sortir ? Cette question-là, ça me fout mal au ventre. J'ai appelé le gardien, il m'a conduit au chef de section. Je lui ai dit : « Moi, je veux travailler, je veux pouvoir venir en aide à ma femme. » Alors il m'a fait remplir des papiers, il m'a assuré que, dans ma branche, il y avait de quoi faire et qu'il parlerait pour moi. J'ai insisté, j'ai répété qu'il fallait absolument qu'il me trouve quelque chose.

Ensuite, j'ai été convoqué chez l'assistante sociale. Je lui ai dit que j'étais innocent, elle m'a écoutée. Je lui ai demandé des timbres pour écrire à la maison. En me les donnant, elle m'a prévenu : « Surtout, monsieur, ne dites rien dans vos lettres. » Alors quoi, elle ne m'a pas cru ? J'ai répété : « Mais moi, je n'ai rien à me reprocher donc je n'ai rien à dire ! Ce que je veux, c'est passer le bonjour à ma femme et lui expliquer que je ne sais pas ce qui m'arrive. »

Et je suis retourné dans ma cellule. Le couloir, deux grilles, un autre couloir, une troisième grille...

Hier soir, j'étais chez les arrivants, mais depuis j'ai changé de cachot. Le gardien est venu me chercher ce matin : « Je vais vous mettre avec un gars bien, ça ira, vous verrez. » Je l'ai suivi, il m'a ouvert une cellule, je suis entré, il a refermé la porte, le type s'est levé : « Qu'est-ce que tu fais là ? » J'ai répondu : « On m'a dit de me mettre là, avec toi. » Il s'est un peu énervé : « Pas question. Tu comprends, moi, je suis en fin de peine, il me reste quatre mois à tirer, alors je veux les finir tranquille. » Le gardien est revenu : « C'est quoi le problème ? », on lui a expliqué et il m'a sorti de là. De nouveau, les escaliers, les grands couloirs, les grilles, les serrures, et finalement je me retrouve ici, avec un autre type, Sylvain[1]. Il est plutôt calme. Il dort sur la couchette en bas, alors je me suis installé au-dessus : je ne suis pas chez moi, je ne vais quand même pas lui demander de déménager parce que je préférerais sa place. Il purge une peine de quinze ans. Il a violé sa nièce.

Sylvain est en train de regarder la télé. Et moi, je regarde le bloc de papier que l'assistante sociale m'a passé. On ne s'écrit pas souvent, Nadine et moi. Forcément, on est toujours ensemble.

Comment je vais pouvoir lui raconter tout ça ?

Amiens, le 17 novembre 2001

Bonjour Maman et les enfants,

À l'heure où je t'écris, je n'ai pas beaucoup le moral. Je n'arrive pas encore à réaliser ce qui m'arrive, de même que pour Daniel. J'ai été arrêté au travail le matin où je t'ai quittée, ils m'ont mis les menottes dès

1. Le prénom a été modifié afin de préserver l'anonymat du détenu.

que je suis descendu de la voiture, puis tout de suite, ils ont demandé après Daniel. Comme j'étais à peu près sûr, je les ai amenés chez Daisy, au 52, il était en train de dormir. Il se demandait quoi. Ils l'ont embarqué et nous sommes partis à Calais en garde à vue jusqu'à vendredi. On n'avait le droit ni de se voir ni de se parler. Vendredi, on a passé la journée au tribunal, moi j'ai été incarcéré à Amiens. Je n'ai pas eu le droit d'attendre pour savoir, au sujet de Daniel. J'ai voulu téléphoner, je n'ai pas eu le droit ni pour lui ni pour toi. Maintenant, je sais qu'il est impossible pour toi de venir me voir et que tu n'as pas le droit de m'envoyer d'habits. Pour Daniel, je ne sais pas si c'est pareil, mais lui il est comme moi : il est parti avec rien. Essaye de t'intéresser à lui.

J'espère qu'ils vont trouver le vrai responsable de toutes ces histoires, car je ne tiens pas à moisir ici trop longtemps. De toute façon, je vais faire appel, mon avocat va venir me voir. De toute façon, au tribunal, j'ai demandé à voir toutes les personnes qui m'accusent. Il faut bouger, sinon, dans deux ans je suis encore là. Même toi, si tu peux faire quelque chose auprès de la justice...

Pour Delattre, je ne sais pas ce qu'ils vont décider, mais je crois que pour mon travail, c'est foutu. Pour ce mois-ci, ça va encore, vu qu'ils devraient payer mes heures au compteur, à peu près 110. Tu peux toujours téléphoner au service social et expliquer, parce que, pour moi, je ne peux plus te ramener de salaire. Enfin vois.

Je t'embrasse, à bientôt. Bonjour à Bébé, Gros[1] *et la famille. Garde-moi les journaux pour que je vois comment ils m'ont sali, ainsi que mon fils.*

Papa

Je relis. Comme ça, ça devrait aller. Je ne sais pas très bien comment lui dire qu'ils me manquent tous et que je voudrais tellement les revoir.

J'espère qu'elle va vite me donner des nouvelles du gosse...

1. Surnoms de Grégory et Frédéric, fils cadets du couple Legrand.

Nadine et Peggy ont bien reçu la lettre de Daniel Legrand père. Il ne lui était pas venu à l'idée de préciser qu'il était innocent. Inutile sans doute, car il n'était pas non plus venu à l'idée de sa femme et de sa fille d'imaginer, ne serait-ce qu'une demi-seconde, qu'il puisse ne pas l'être. Pour eux tous, une seule chose comptait : le lien était rétabli. Elles lui répondaient immédiatement. Elles lui assuraient que tout allait s'arranger, qu'ils pensaient tous à lui et à Daniel. Elles ne racontaient pas les pleurs, les insomnies, les crises de nerfs, le chaos que ces deux arrestations avaient provoqués. Ni le front de Peggy, qu'elle avait tapé contre la porte du Frigidaire dans un moment de désespoir. Elles écrivaient ensemble, d'un même élan et d'un même cœur, même si c'est la fille, plutôt que la mère, qui tenait le stylo : les mots étaient bien trop étroits pour la peine de Nadine.

Quant au fils, les deux femmes lui avaient déjà envoyé un courrier. En effet, le samedi 17 novembre, une heure après qu'elles avaient découvert dans *La*

Voix du Nord l'arrestation de leurs deux Daniel, une assistante sociale avait téléphoné. Elle prévenait que le jeune Legrand était incarcéré à Loos-lès-Lille. Nadine avait tiqué en l'entendant dire : « Ce matin, votre garçon va un tout petit peu mieux. » Un tout petit peu mieux ? Elle connaissait son fils : il n'allait donc pas bien du tout. Elle savait désormais où il se trouvait, elles pouvaient lui écrire pour le réconforter un peu, pour lui dire qu'on était tous avec lui.

Mais Daniel n'avait pas répondu à cette première lettre.

Quelques jours plus tard, Peggy faisait un nouvel essai :

21 novembre 2001

Daniel,

Je t'écris pour la deuxième fois, j'espère que tu as bien reçu notre courrier et que tu vas vite nous donner de tes nouvelles. J'ai eu des nouvelles de Papa, car il nous a écrit, il se demande aussi pourquoi on l'a arrêté, et il s'inquiète aussi pour toi. J'ai un rendez-vous ce soir avec ton avocate pour en savoir plus et surtout pour te tirer de là [...]. Surtout garde bien le moral, car nous avons eu ton assistante sociale au téléphone, elle nous a dit que ça n'allait pas trop et que tu te demandais pourquoi tu étais là-bas [...]. On va retrouver les vrais coupables et c'est eux qui prendront ta place.

Ils ont fait une perquisition chez moi et Laurence, mais ils n'ont rien trouvé. De toute façon, je ne m'en inquiétais pas, car je savais bien que c'était n'importe quoi.

Je vais te laisser, mais, surtout, donne-nous de tes nouvelles, et prends bien soin de toi. Garde le moral, tout va bien se terminer : on n'envoie pas un innocent en prison. Je pense bien fort à toi et je t'embrasse.

Peggy

PS : j'écris pour moi et Maman. Donne de tes nouvelles.

Tout en bas, Nadine ajoutait d'une écriture tremblante : *Daniel mon fils, je t'aime très très fort, ainsi que Papa. À bientôt, Maman.*

Ce même jour, Daniel Legrand père écrivait de nouveau à sa femme, lui non plus n'avait toujours pas reçu de nouvelles de son fils et il s'inquiétait aussi : … *J'espère que tu as eu des nouvelles de Daniel et que tu as pu lui envoyer un mandat. Écris-moi vite, donne-moi l'adresse de Daniel.*

Il avait signé *Papa*. Il restait un peu de place en dessous, alors il avait rajouté *qui t'aime…*

Daniel Legrand PÈRE
7e jour de détention, Amiens
23 novembre 2001

Qu'est-ce qu'il se passe, pour Daniel ? Pourquoi personne n'a de ses nouvelles ?

Je pense à lui. Et quand je pense à lui, je repense aussi au lendemain de mon arrivée.

J'allais à la douche pour la première fois. Je suis entré, je me suis lavé, ça faisait du bien : je n'avais pas pu faire de toilette depuis le jour de l'arrestation, ça commençait à devenir énervant. Puis je me suis rhabillé, et j'ai voulu sortir. Mais la porte ne s'ouvrait pas. J'ai poussé, j'ai forcé, rien. Alors j'ai regardé par le judas, il y en a partout ici. Et là, j'ai vu deux ou trois types qui bloquaient la porte. Ils avaient des cagoules et des passe-montagnes. D'un coup, mon cœur s'est mis à battre à toute vitesse. Mais je ne me suis pas laissé faire, j'ai donné des coups d'épaule, j'ai gueulé, j'ai tapé, je poussais de toutes mes forces. Les gars ne disaient rien, pas un mot, je voyais juste leurs cagoules et, dans les trous, leurs yeux qui me fixaient de l'autre côté du judas, comme ça, en silence. Ça a duré deux ou trois minutes. Ça m'a semblé des heures.

Finalement, un gardien est arrivé et les types se sont carapatés. Je n'ai jamais su qui ils étaient.

Alors je pense à Daniel. Bon sang, pourquoi on n'a pas de ses nouvelles ? Ici, des prisonniers m'ont prévenu : là où il est incarcéré, à Loos, ça n'a rien à voir avec Amiens... c'est pire. C'est dur, de penser à autre chose. C'est dur, de se lever le matin, de se coucher le soir, et de n'avoir rien d'autre que ça dans la tête : comment va mon gosse ? Est-ce qu'il va lui arriver quelque chose de terrible ?

Ça fait une semaine que je suis ici. À part l'épisode de la première douche, pour l'instant, je n'ai pas de problèmes avec les autres détenus. Le chef de section m'avait prévenu : il suffit de ne pas fréquenter certains clans, c'est tout. De toute façon, moi, je ne veux fréquenter personne. Je n'ai pas de copains, et je ne cherche pas à en avoir. Les gars d'ici ne me demandent pas pourquoi je suis là, et moi, je fais pareil. Et quand on parle, c'est de tout et de n'importe quoi : la vie d'ici, « T'as encore du tabac ? », « J'ai pas reçu mon mandat », « J'ai une visite à 15 heures... » Des conneries, quoi. C'est mieux comme ça.

Pourtant, des fois, j'aimerais bien me confier quand même. Mais je n'ai personne pour ça, à part mon codétenu, Sylvain. Il n'est pas très causant, il n'écoute pas tellement non plus. Je lui raconte, tant pis. Parce que j'en ai gros sur le cœur. Je n'arrive pas à admettre toutes les accusations que j'ai sur le dos : plus ça va, plus ça me fait mal. Je me sens sali. Mais je sais bien qu'au fond, Sylvain, il s'en fout de mes histoires. Alors si je pouvais voir Nadine, mes filles, mes garçons...

Leur raconter. Leur dire que c'est insupportable d'être accusé de ça.

Je leur ai écrit mais, les avoir en face de moi, ça ne ferait pas pareil. Les autres ont des visites au parloir. Pas moi. Nadine dit qu'elle n'a pas encore reçu l'autorisation par la poste, qu'elle attend tous les jours le facteur. Je me sens seul. Ça aussi, ça fait mal.

J'ai travaillé dur, j'ai eu des accidents du travail, des soucis matériels et puis des tracas d'argent. Mais cette douleur-là, de se sentir seul, c'est différent, ça ronge de l'intérieur, on ne peut rien faire contre ça, je ne suis pas habitué, ça ne m'est jamais arrivé. Et je tourne en rond dans ma cellule. De temps en temps, j'ouvre la fenêtre, il y a la cour et une salle de sport. Je regarde les types s'entraîner. Moi, je n'ai pas envie. Une ou deux fois par jour, je descends tout de même en promenade et je marche d'un mur à un autre mur. Puis pareil dans l'autre sens.

Mais la plupart du temps, je regarde la télé, j'attends les infos, je voudrais savoir s'ils parlent de notre histoire, je voudrais comprendre. Parfois, il y a des reportages, ils disent « l'affaire d'Outreau ». Mais je ne comprends toujours pas. Et je cherche encore : qui nous a mis dans ce cauchemar ? Qui peut nous vouloir du mal à ce point ? Tout à l'heure, j'ai écrit à Nadine. J'essayais de lui donner des pistes, des idées : peut-être que c'est un tel qui nous a fait ce mauvais coup-là, peut-être une telle ?

Je reprends le petit carton où j'ai rangé les deux courriers de ma femme et de Peggy. Elles m'avaient envoyé un mandat aussi. Grâce à ça, j'ai pu m'acheter du tabac, du café, du sucre et de la lessive pour mon linge. Je m'assieds sur la couchette. Je relis les deux lettres. Pour la dixième fois au moins. Quand j'ai reçu la première et que j'ai ouvert l'enveloppe, j'en tremblais tellement j'étais impatient. J'ai déplié le petit bout de papier, j'ai reconnu tout de suite l'écriture de Peggy. J'ai lu autant de fois que j'ai pu. Ça faisait tellement de bien d'avoir de leurs nouvelles, de se dire qu'elles étaient toujours là... Ça faisait mal aussi.

Elles écrivent qu'elles n'ont pas de nouvelles du gosse. Comment ça se fait ? Je lis, je relis, et cette fois encore, je sens que les larmes vont sortir. La dernière fois, ça ne s'arrêtait plus de couler.

Je me couche. Je me mets les poings dans les yeux, le visage au fond de l'oreiller...

Et je prie. De toutes mes forces. Faites qu'il n'arrive rien à mon gamin... enfin, rien de pire que ce qui nous arrive déjà.

Daniel Legrand FILS
7e jour de détention, Loos-lès-Lille
23 novembre 2001

Ce n'est pas normal. Pourquoi je ne reçois aucun courrier ? Pas de nouvelles de mon père, pas de nouvelles de ma mère, pas de nouvelles de ma famille. Je suis tout seul. Ça me donne le vertige tellement je me sens seul. Je tape dans la porte, j'ai mal aux poings tellement je tape dessus. Les gardiens me disent : « Arrête de cogner, ça ne sert à rien, c'est pas ça qui te fera sortir. » Mais je m'en fous. Il faut que je sorte d'ici, il faut que je retrouve ceux qui m'aiment. J'ai l'impression de tomber dans un trou noir. Je vois bien que ça me rend méchant. Pourquoi ma famille ne me donne pas de nouvelles ? Sans doute qu'ils savent pas comment s'y prendre pour m'écrire ? Je leur ai envoyé des lettres, j'ai essayé de les inquiéter le moins possible, je ne veux pas qu'ils aient du souci à cause de moi. Mais quand même, je n'en peux plus. J'ai besoin d'eux. Et cette fois, mon père n'est pas dans une cellule à côté, comme en garde à vue. Il n'entend plus quand je tape. Il n'y a personne pour m'écouter.

Me pendre. Ou me jeter par la fenêtre. Même ça, je

ne peux pas le faire. Pourtant, j'y ai pensé hier soir. Mais, si je fais ça, tout le monde va croire que je suis coupable. Alors la seule solution, c'est de sortir d'ici.

Est-ce que ma famille m'a abandonné ? Non, ce n'est pas possible, je ne peux pas croire ça. Ils ne feraient pas ça, ils ont confiance en moi. C'est la seule chose dont je suis sûr. Il ne faut pas m'enlever ça : ils m'aiment. Je veux les retrouver, je veux qu'ils me prennent dans leurs bras, je veux être avec eux, on n'a jamais été séparés comme ça, jamais.

Alors je taperai dans les portes jusqu'à ce qu'on me libère. C'est ça ou c'est le trou noir.

Peggy, Nadine et Daniel Legrand : tous, pourtant, avaient bien écrit au jeune homme. Mais leurs lettres ne lui avaient pas été remises immédiatement, bloquées quelque part dans les rouages de l'Administration. Volontairement ou involontairement : seul le juge Fabrice Burgaud pourrait le dire...

Quoi qu'il en soit, le fils Legrand devra attendre plus d'une quinzaine de jours avant de pouvoir lire ce qui, pour lui, représentait énormément : des nouvelles de sa famille, une présence, un lien avec la réalité « d'avant ».

En attendant une réponse, il continuait d'écrire. Et de paniquer.

Daniel Legrand FILS
10e jour de détention, Loos-lès-Lille
26 novembre 2001

26 novembre 2001

Chère Maman,

J'espère que tu vas bien, ainsi que Bébé, Gros, Peggy, Daisy, mes neveux et le reste de la famille. Moi, ça peut aller. Mais bon, je n'ai rien à faire ici tout comme Papa. Tu sais très bien que nous n'y sommes pour rien, nous sommes innocents. Mais bon, la justice ne veut rien savoir. Nous n'avons pas le choix, il faut attendre que l'enquête avance [...].

Maman, dès que tu recevras ce courrier, écris-moi dès le lendemain pour me donner de tes nouvelles. En même temps, si tu pouvais me mettre des timbres dans l'enveloppe, pour que je puisse écrire au juge et à mon avocat, et à toi aussi.

Sinon, moi ça peut aller, à part que vous me manquez beaucoup [...].

Je regarde les infos la plupart du temps pour en

savoir un peu plus sur l'affaire. Et je pense énormément à vous [...].

Maman, écris-moi le plus souvent possible pour me donner de tes nouvelles, ainsi que celles de mes frères et sœurs. Mais pense en priorité à Papa, car il en a bien besoin.

Sinon, ne t'inquiète surtout pas, pense aussi à toi, prends soin de toi, Maman. J'espère vous voir très bientôt au parloir. Aussi, n'hésite pas à te renseigner auprès de l'assistante sociale de la prison pour quoi que ce soit.

Bon Maman, je te laisse en espérant te revoir très très bientôt ainsi que mes sœurs et frères et neveux adorés que j'aime très fort. Surtout, écris-moi de temps en temps. Je vous aime très fort, et je pense chaque jour à vous.

Maman, je t'adore, je t'aime

Daniel

Daisy, aide Maman s'il te plaît. Je t'aime, gros bisous à Clément et Nicolas.

Bonjour à Laurence.

Peggy, prends soin de Maman. Je t'aime. Embrasse très fort Romain, Teddy, Laury, mes neveux et nièces que j'adore.

Gros, s'il te plaît, prends grand soin de Maman et de toi. Je t'aime.

Bébé, prends soin de toi et de Maman surtout. Je t'aime.

Je suis innocent. Je n'ai rien à faire en prison.

Je mets ma lettre dans l'enveloppe et, au dos, je mets mon adresse : Maison d'arrêt de Loos, 2, avenue du Train-de-Loos, 59374 Loos. J'écris soigneusement, en capitales, pour que ma mère sache bien où m'envoyer ses lettres, qu'elles puissent arriver jusqu'à moi. Peut-être que si je n'ai rien reçu, c'est qu'elle n'avait pas la bonne rue ou le bon code postal. J'écris aussi : « 64473 », ça peut toujours servir, c'est mon numéro d'écrou. 64473 : je suis un numéro entre quatre murs.

Quatre murs. Et quatre mois. Ce chiffre-là, je ne peux pas l'oublier. J'y pense tout le temps. C'est ce qu'il m'avait dit, le juge : « Quatre mois d'enquête. » Mais je n'arriverai jamais à tenir quatre mois. C'est ce que je dis aux gardiens quand ils essaient de me calmer, quand je tape trop longtemps dans les portes. Parce qu'il n'y a pas que les quatre murs. Il y a tout le reste.

Les murs, les serrures, les barreaux. Les grosses portes de prison, les gardiens, les menus pas terribles. Les grands filets entre les étages, dans les couloirs, au cas où quelqu'un voudrait vous jeter dans le vide. Je regarde, je m'interroge, j'imagine : et si, un jour, un détenu voulait me balancer par-dessus bord, est-ce que les filets tiendraient ? C'est un climat de peur, partout, tout le temps. Ça va durer combien de temps dans cet enfer-là ?

Je vous le dis : je ne tiendrai pas quatre mois.

Les cellules, c'est la misère. Sept mètres carrés, trois lits superposés en fer, presque pas d'armoire, alors les détenus mettent leurs affaires par terre. Au début, j'étais avec deux types. Je dormais tout en haut, et quand je me levais, à chaque fois, je me cognais la tête contre le plafond. Un des prisonniers, un gros costaud, il a tout de suite su pourquoi j'étais là. Il avait entendu la rumeur, parce qu'en prison, la rumeur, c'est comme les infos à la télé : tout le monde y croit. Et ça ne lui plaisait pas du tout, que je sois un « sale pédophile ». Alors on m'a changé de cellule. Cellule 102, premier étage, section A. Je la partage avec Philippe[1]. Quand je suis entré, il m'a donné une cigarette, il m'a dit de lui raconter ce qui m'arrivait, je lui ai expliqué. Et il a conclu : « T'es mal barré. »

D'après Philippe, j'en ai pour quinze ou vingt ans. Lui, il a tué son beau-père. Il a pris dix ans.

Dix ans, vingt ans... je n'arrive même pas à imaginer ce que ça représente, autant de temps entre ces quatre murs. Déjà que quatre mois, ça paraît impossible.

Il n'y a rien à faire en prison : se lever, nettoyer sa cellule, ensuite c'est l'heure de la gamelle. Après, plus rien. C'est long. Une demi-heure en prison, c'est comme une journée entière. Avec la peur au ventre, à chaque minute. J'essaie de regarder la télé, pour me tenir au courant : les actualités en parlent souvent, de l'affaire. Je me suis même vu sur France 3 : je montais les marches du palais de justice, de dos. J'étais en colère : qu'est-ce que je fais à la télé pour des histoires

---

1. Le prénom a été modifié afin de préserver l'anonymat du détenu.

pareilles ? Ils m'avaient filmé le jour où je passais devant le juge, après la garde à vue : le policier m'avait demandé si je voulais mettre ma capuche, j'avais dit non. Pourquoi j'ai dit non ? Je m'en veux, et j'en veux à France 3. Je leur en veux énormément. J'en veux à tous ces journaux qui nous salissent, mon père et moi. Je me sens humilié, plus bas que terre. Aux détenus, je n'arrête pas de leur dire : « Mais, moi, je suis innocent, je vous jure. » Quand il le peut, Philippe essaie de me défendre.

Mais avec le magazine *Détective*, ça a été fini.

Il y a trois jours, un détenu m'a glissé ce magazine-là sous ma porte. Je ne connaissais pas ce journal, ça ne parle que de meurtres et tout ça. De l'autre côté de la porte, j'ai entendu : « Ah bon, t'es innocent ? Alors c'est quoi, ça ? » J'ai ramassé le *Détective*, j'ai lu : toutes ces accusations, tous ces gens, un curé, un huissier, un taxi, une boulangère, d'autres gens arrêtés avant nous, mon nom, celui de mon père, Daniel Legrand père et fils, traînés dans la boue. J'ai crié : « Peut-être, mais moi j'ai rien fait, j'y suis pour rien ! » Mais le type était déjà parti. Je voulais mourir de colère.

Le lendemain, à la douche, j'ai bien vu que le regard des détenus sur moi était encore plus méchant, encore plus bizarre. Je suis rentré vite fait dans ma cellule. Juste après, un type est venu à ma porte, il a chuchoté : « Va pas dans la cour ou à la douche. Sinon, ils vont tous te lacérer les reins. »

Alors maintenant, je ne vais plus à la douche. Je me lave au petit lavabo de la cellule. Je ne vais plus en promenade non plus. Je reste là. Dans mes sept mètres carrés. Toute la journée. Ici au moins, il ne m'arrivera rien. Je suis plus en sécurité, en tout cas, plus en sécurité dans mon corps. Dans ma tête, c'est autre chose. Des fois, je me la tape contre les murs. Parce que c'est de pire en pire, parce que les détenus ne me lâchent plus. Et qu'ils me bouffent le cerveau. Et là, ça y est, il est plus de 17 heures, je les entends. Ils remontent de la promenade. Je suis tout seul dans la cellule, parce que Philippe est parti à l'infirmerie.

Est-ce que ça va recommencer ? Avant-hier, ils m'avaient laissé tranquille, mais le jour d'avant ça avait été terrible. Et puis hier aussi. J'écoute. Les bruits de pas s'approchent, des pas lourds, des grosses voix, l'écho dans les couloirs, la voix d'un gardien de temps en temps qui crie un ordre ou le nom d'un détenu. J'attends. Et les voilà devant ma cellule. Je ne vais pas y couper : aujourd'hui, ils vont le faire encore.

La porte tremble. Ils se sont mis à tambouriner dessus. Je regarde le verrou, je me dis qu'il est solide quand même. Ils doivent être trois ou quatre. « Pédophile ! », « Pointeur ! », ils crient, ils rigolent, ils disent d'autres mots, encore plus vulgaires. L'œilleton de la porte est percé. Et ça y est : ils crachent dans ma cellule et je vois les crachats s'écraser sur le béton. Des crachats, de la haine, des insultes en rafale. Tellement d'insultes que ça me fait reculer jusqu'au fond de la cellule, jusqu'à ce que le mur m'arrête. Je leur crie : « Moi, j'ai rien fait ! », mais ils continuent : « On va t'enfoncer un balai dans le cul ! » Ils me regardent à travers l'œilleton, je vois des gros yeux qui me fixent, des bouches qui crachent et qui jettent des mots vulgaires, tous ces mots vulgaires. Je serais mort si la porte était ouverte, je serais mort. Je me fais tout petit, je voudrais pousser le mur pour m'éloigner encore plus. Je me bouche les oreilles, j'essaie de penser à autre chose, aux copains, au foot, au match qu'on avait gagné contre Ribéry. À la mer. Peu à peu, il y a un peu moins d'insultes, de moins en moins de crachats. Les types en ont marre. Ils s'en vont.

Je me mets la tête dans les bras. Je n'arrive toujours pas à pleurer. Je voudrais des nouvelles de ma famille. Je veux que le juge me convoque, je veux lui redire que je suis innocent. Pourquoi je n'ai plus de nouvelles de lui non plus, pourquoi il me laisse là-dedans ? Mon avocate, celle qui m'avait accompagné dans son bureau, on m'a fait savoir qu'elle a laissé tomber l'affaire : elle ne veut plus me défendre. Il paraît que je vais avoir un autre avocat commis d'office. Il devrait venir me voir, alors pourquoi il ne le fait pas ?

Pas de famille. Pas de copains. Pas de juge. Pas d'avocat. Je suis tout seul entre quatre murs. Et dehors, c'est la jungle.

J'ai l'impression d'avoir été emporté dans un autre monde. Que j'y suis bloqué, prisonnier, scotché au plafond. Et que je ne peux plus revenir dans le monde d'avant.

Les jours passaient. Du côté des enquêteurs, les investigations se poursuivaient. Et n'aboutissaient nulle part.

Les fermes belges : aucun lien probant n'était trouvé entre un éventuel Daniel Legrand et les bâtiments désignés par les enfants Delay et leur mère. Ni le père ni le fils n'étaient propriétaires ou locataires des lieux.

Myriam Badaoui continuait d'affirmer le contraire.

Le sex-shop du 22, rue des Religieuses-Anglaises : malgré les recherches entreprises, aucun élément ne démontrait que les Legrand, père ou fils, étaient, de près ou de loin, impliqués dans ce commerce.

Myriam Badaoui continuait d'affirmer le contraire.

Les films et les photographies pédophiles : aucun support de cette nature n'était retrouvé, ni chez les Legrand, ni chez les Delay, ni au sex-shop, ni dans les fermes belges, ni au domicile des autres inculpés, treize à ce jour criant leur innocence. Rien, donc, ne prouvait que les Legrand, père ou fils, aient pu participer à la fabrication, la vente ou la diffusion de ce type de matériel.

Myriam Badaoui continuait d'affirmer le contraire.

L'emploi du temps de Daniel Legrand père : son patron était interrogé par les policiers du SRPJ de Lille.

« Question : Était-il souvent absent ?

Réponse : Non, comme vous pouvez le constater sur le relevé de ses congés et absences pour maladie de l'année 2001 que je vous remets. En ce qui concerne l'année 2000, il n'a pratiquement pas été absent. Il a pris une semaine de congé en mars et en août 2001. Au contraire, il était très disponible et ne refusait jamais ni les heures supplémentaires ni de déplacer ses congés. »

Myriam Badaoui, Aurélie Grenon et David Delplanque avaient pourtant été formels : le père tout comme le fils faisaient partie de ceux qui fréquentaient le domicile des Delay le plus souvent. D'après Aurélie Grenon, les séances de viols avaient lieu essentiellement le soir, presque toutes les semaines, et tous les deux ou trois jours ; le week-end, parfois. En partant du principe que Daniel Legrand père était également gérant d'un sex-shop, propriétaire ou locataire des fermes belges où étaient organisés de nombreux tournages pornographiques, que de surcroît il gérait sous le manteau la vente de films illégaux, on voit mal comment ce dernier aurait pu mener de front autant d'activités tout en restant assidu à sa tâche d'ouvrier.

Mais Myriam Badaoui continuait d'affirmer le contraire.

Le compte en banque de Daniel Legrand père : son patron était également interrogé sur ce point.

« Question : À votre connaissance, quelle était sa situation financière ?

Réponse : Daniel Legrand avait des soucis financiers, il demandait régulièrement des avances sur salaire. J'ai appris [...] qu'il vivait chez sa belle-famille. »

Pourtant, Myriam Badaoui, Aurélie Grenon et David Delplanque continuaient d'affirmer que Daniel Legrand, en tant que chef du réseau, faisait payer les séances de viols et récoltait l'argent issu de celles-ci, sans compter les ressources liées aux cassettes et photographies pédophiles. David Delplanque avait même précisé que les différents membres du réseau, pour pouvoir violer les enfants, payaient deux cents à cinq cents francs par séance. Soit une moyenne de trois cent cinquante francs par séance.

Trois cent cinquante francs par séance. Que multiplie le nombre d'adultes participant, mettons dix. Que multiplie la fréquence des séances par semaine, mettons quatre. Que multiplie le nombre de semaines par an, mettons cinquante. Que multiplie le nombre d'années pendant lesquelles les sévices auraient eu lieu, mettons quatre (depuis 1996, affirmait Myriam Badaoui)... Bref, l'addition aurait largement permis à la famille Legrand de pouvoir, mettons, sauver son bien le plus précieux : le petit pavillon de Wimereux...

Enquête de personnalité : aucun témoin n'avait pu dénoncer la violence de Legrand père, telle que décrite par Myriam Badaoui. Son patron confirmait :

« Question : Quels commentaires avez-vous à formuler sur le comportement général de M. Legrand Daniel ?

Réponse : M. Legrand n'a jamais attiré défavorablement l'attention de sa hiérarchie. Il n'a jamais fait l'objet de sanctions disciplinaires. Il s'agit d'un ouvrier sérieux. Il ne recherchait pas la promotion, il se complaisait dans son statut d'ouvrier de base.

Question : Que vous inspire son arrestation qui a eu un écho dans la presse locale et régionale ?

Réponse : Un très grand étonnement, la description qui en est faite dans la presse ne correspond pas à son profil. »

Audition, également, de son chargé d'affaires : « En tant que responsable de chantier, je n'ai jamais eu de problèmes avec lui. Il donnait satisfaction dans sa façon de travailler et sur la qualité de son travail. Il était toujours prêt à rendre service. Pour exemple, lorsqu'un chantier avait du retard, si on lui demandait, il ne rechignait pas à venir travailler le samedi, contrairement à d'autres employés. Je peux également dire que c'était quelqu'un de discret, de réservé. »

Pourtant, il la battait. Il la violait. Il la brûlait avec des cigarettes quand elle ou ses enfants ne se pliaient pas à ses désirs sadiques. Il lui faisait des entailles en forme de croix sur les chevilles pour la punir. Il la droguait. Il l'a fait sodomiser par un berger allemand. Il avait des relations homosexuelles avec son mari. Daniel Legrand est le pire des monstres.

C'est en tout cas ce que Myriam Badaoui continuait d'affirmer.

Donc le juge Fabrice Burgaud continuait de laisser moisir en prison Daniel Legrand père. Et, tant qu'à faire, Daniel Legrand fils.

Daniel Legrand FILS
18e jour de détention, Loos-lès-Lille
4 décembre 2001

Bientôt, c'est Noël. Je compte les jours. Chaque jour, je compte et je me dis : « Je vais le revoir quand, le juge ? » J'attends, il m'a laissé tomber, il ne me convoque toujours pas. Je suis fort seul. Je ne veux pas passer les fêtes en prison, pas ça, ce n'est pas possible. J'ai toujours passé Noël en famille.

Je pense à mon père, tout le temps, je l'imagine derrière les barreaux. Mon pauvre père. Ça me fait mal. Il est loin de moi, on ne peut pas se parler, je ne reçois pas de lettres de lui. S'il n'avait pas été arrêté comme moi, ça aurait été différent. Je me sentirais plus fort : dehors, il m'aurait défendu, il se serait battu pour moi, mon père. Il aurait trouvé la vérité. Mais là, je suis tout seul. Avec personne pour m'aider : il faut un homme pour nous sortir de cet enfer, pour faire éclater la vérité, et mes frères sont trop jeunes.

Qu'est-ce que je peux faire ?

Est-ce qu'il y a quelque chose à faire qui pourrait nous sortir de là ?

« Réfléchissez bien, monsieur Legrand, on a relâché une personne qui a avoué... »

Ça tourne dans ma tête, les pensées se bousculent, c'est flou, bruyant, ça bourdonne comme des insectes, et des fois, tout d'un coup, c'est le silence total, je n'entends plus que mon cœur. Je n'ai plus de nouvelles de ma famille, je l'ai perdue, c'est le vide, et ça, c'est terrible.

Qu'est-ce que je peux faire ?

Faire des aveux ?

Noël va arriver. Et je ne peux pas rester comme ça...

Daniel Legrand PÈRE
19e jour de détention, Amiens
5 décembre 2001

Le 5 décembre 2001

Nadine,

J'espère que tu vas bien ainsi que toute la famille. Moi, ça va, mais je commence à trouver le temps long. Cela va faire trois semaines que je suis parti. À la vitesse où vont les choses, je suis à peu près sûr de passer Noël ici...

Je n'ai pas encore eu la visite de mon avocat, cela m'inquiète. J'ai refait une demande de liberté, j'attends aussi. Je n'ai pas eu de nouvelles de Daniel, j'espère que toi tu en as et que ça va pour lui.

Je n'ai toujours pas eu de travail alors je suis vingt-quatre heures sur vingt-quatre dans la cellule. En promenade, j'y vais rarement, car il fait mauvais et de toute façon, si c'est pour tourner en rond dans la cour... Enfin, j'espère que pour l'année 2002, tout va aller mieux sur tous les points car depuis un an, nous vivons un drôle de cauchemar : pour la maison, ça n'avance pas ; pour ton pied, cela va faire un an... Ça commence à être triste. Mais j'ai vu que tu remettais ta chaussure, j'espère que tu la supportes bien mais n'en abuse pas, à trop marcher. Et mets ta prothèse [...].

Ne t'emmerde pas trop avec ce que disent les mauvaises langues. Quant à moi, j'ai ma conscience tranquille, tu le sais.

Surtout Nadine, réclame tes droits, n'hésite pas à frapper aux portes : après tout, nous ne sommes pas responsables de ce qui nous arrive...

Dis à Peggy qu'elle démarre la voiture de temps en temps, qu'elle roule un peu avec, même pour aller conduire les gosses à l'école ou autre, mais pas trop loin, car je n'ai pas de roue de secours.

Enfin, je vais vous laisser, ne t'inquiète pas, il y aura des jours meilleurs. Si tu téléphones à l'avocat, dis-lui qu'il vienne me voir.

Tu me redonneras des nouvelles de Daniel s'il t'a écrit.

Je t'embrasse très fort, au revoir,

Papa.

Daniel Legrand FILS
27e jour de détention, Loos-lès-Lille
13 décembre 2001

Ça y est : il y a quelques jours, j'ai enfin reçu les lettres de maman, de Peggy, de papa. Elles me sont arrivées toutes en même temps. Ils les avaient gardées...

Je me suis assis sur un tabouret. J'avais le cœur qui battait très vite. J'étais comme paralysé. C'est comme si j'avais attendu trop longtemps, ça m'a même demandé un effort pour ouvrir la première enveloppe. J'ai lu. Ils disaient tous qu'ils m'aimaient. Qu'il fallait tenir le coup. Que maman et Peggy n'avaient pas encore l'autorisation de venir me voir. Qu'elles n'attendaient que ça.

Et c'est sorti, d'un seul coup : j'ai pleuré. C'était la première fois que je pleurais depuis l'arrestation. Tout était resté bloqué à l'intérieur de moi. Mais là, je ne pouvais plus me contrôler, les sanglots me secouaient de partout. Je voulais être dans leurs bras. Il n'y a rien que j'aurais plus souhaité que d'être dans les bras de ma mère, de mon père. Ne plus être tout seul là-dedans. Ne plus entendre les insultes à travers les portes, ni voir les crachats par l'œilleton. Ne plus avoir peur de me faire violer. Parce que je sais bien que c'est ce qui finira par arriver si je reste là-dedans.

Ça a mis du temps pour que les larmes s'arrêtent. Au début, Philippe me consolait, et puis finalement il n'a plus rien dit. Et quand ça a été fini, je me suis aperçu d'une chose : l'angoisse que j'avais dans le ventre depuis que je n'avais plus de nouvelles de ma famille, cette angoisse-là n'était pas partie.

Comme si c'était trop tard.

Le 17 décembre 2001, après un mois de détention à attendre des nouvelles de son dossier, à se demander si l'enquête avançait, à guetter chaque jour le journal télévisé pour grappiller quelques informations sur l'affaire, à supporter l'environnement carcéral sans aide psychologique ni visites de sa famille ni même le soutien d'un avocat, le jeune Daniel Legrand était convoqué par le juge Fabrice Burgaud.

Daniel Legrand FILS
31e jour de détention, Loos-lès-Lille
17 décembre 2001

Ça y est : à Noël, je suis à la maison !

Je suis tellement impatient. Dans la voiture, je regarde les rues défiler, il y a des guirlandes partout. Dommage, c'est le matin, elles ne sont pas encore allumées. Nous sommes entrés dans Boulogne-sur-Mer. C'est la première fois que je vais revoir le juge, il m'a enfin convoqué. Et cette fois, je suis frais, dispos, bien lavé, bien reposé, pas comme après une garde à vue. Ça va bien se passer, j'en suis sûr. J'appréhende un peu, mais je suis confiant, vraiment confiant. J'ai été prévenu par courrier, j'étais fou de joie : c'est une confrontation. Je vais rencontrer celle qui m'accuse. Tout à l'heure, sur le parking de la prison de Loos, une femme attendait dans un véhicule pénitentiaire. Une détenue. Elle m'a regardé longuement pendant que je montais dans une autre voiture. Je me suis dit : « C'est peut-être elle, Myriam Badaoui ? » En tout cas, elle ne me lâchait pas des yeux. Et puis on est partis, chacun de son côté.

Les devantures des magasins sont bien décorées, et

je voudrais approcher des vitrines, flâner, faire tout ce que je faisais avant... Demain, peut-être. Parce que je me dis que, devant le juge, Myriam Badaoui va sûrement se rendre compte qu'elle s'est trompée, qu'elle m'a pris pour quelqu'un d'autre. Elle va annoncer : « Non, ce n'est pas lui, excusez-moi, j'ai confondu. » Ou bien le juge va se tourner vers moi : « Nous n'avons aucune preuve quant aux accusations qui sont portées contre vous. » J'imagine la scène dans ma tête, ça serait tellement bien, ça me donne presque envie de rire. Le cauchemar va se terminer bientôt.

À Noël, je suis à la maison.

Nous arrivons au palais de justice. Mon cœur se serre brusquement. Je me souviens de la dernière fois, avec la poignée de main de mon père. Je respire un bon coup. Il faut être fort, il faut se battre. Pour moi et puis pour lui, pour mon père. On me conduit dans une cellule. Mon nouvel avocat commis d'office vient me voir. Il se présente, « Maître Rangeon... », et il m'annonce que je vais rencontrer tous ceux qui m'accusent. Les trois en même temps. Je lui demande : « Mais à quoi ils ressemblent ? » Parce que, moi, je ne les ai jamais vus.

Lorsque j'arrive dans le bureau du juge, je suis étonné, il y a beaucoup de monde : des avocats, des policiers... Et puis cette femme : ronde, les cheveux noirs et très rasés, de grands yeux qui tombent, c'est bien elle qui me regardait sur le parking de Loos. J'apprends qu'il s'agit de Myriam Badaoui. Il y a aussi une jeune fille rousse et un grand jeune homme qui a l'air mal à l'aise : Aurélie Grenon et David Delplanque.

Face au bureau, il y a une rangée de chaises. On me dit d'aller m'asseoir à l'extrémité, tout au bout à droite. Les trois autres, eux, sont placés bien en face du juge : Myriam Badaoui est au centre, juste devant lui. Aurélie Grenon et David Delplanque sont assis à ses côtés, de part et d'autre. Du coup, moi, je suis loin du juge, il faut presque que je tende le cou pour le voir. Alors tout de suite, je me sens mal à l'aise : j'ai l'impression d'être en position de faiblesse, isolé, à part. Comme sur le banc de touche.

Le juge commence. Il s'adresse à Myriam Badaoui : « Vous avez déclaré que Daniel Legrand fils avait participé aux faits de viols... », et immédiatement, elle se met à pleurer, elle renifle. Il continue de lire les accusations qu'elle porte contre moi, elle prend le mouchoir que son avocate lui tend, elle essuie ses yeux. Ça y est, c'est bon : elle pleure, donc elle regrette ! Ou bien elle se rend compte qu'il y a eu erreur sur la personne et elle est désolée... En tout cas, elle va se rétracter. Le juge termine : « Confirmez-vous vos déclarations ? » Elle range son mouchoir. Elle soupire. Je retiens ma respiration. Elle dit : « Oui. »

Il lui demande : « Est-ce bien la personne qui est présente aujourd'hui dans cette pièce ? » Elle n'attend pas une seconde. Elle ne me regarde pas. Elle dit : « Oui. »

« Oui », sans hésiter. Un « oui » bien franc, bien net, comme si on se connaissait depuis toujours. Oh non, ce n'est pas possible...

Je me dis ça : oh non...

Et là, elle se met à tout déballer. Et j'ai mal au cœur, tellement c'est horrible, tellement c'est maléfique, toutes ces choses que j'aurais faites à ses enfants, Vladimir, Nolan, Brandon... Elle raconte même qu'elle avait frappé une fois l'un d'entre eux pour l'obliger à faire ce que je voulais qu'il fasse. Elle est vulgaire, elle prononce des mots atroces, elle décrit des choses abominables, pénétrations et tout ça, je ne pouvais même pas imaginer que ça pouvait exister des trucs pareils. Pendant la garde à vue, les policiers m'avaient dit des choses, mais là, c'est pire, c'est en direct, elle donne des détails, elle y met du cœur, c'est une vicieuse, une vicieuse pleine de vices.

Et elle rajoute que mon père filmait tout ça, elle précise même qu'il portait des caleçons et que, moi, je portais des slips. Elle mêle mon père à toutes ces saletés, alors qu'il n'est même pas là pour se défendre ! Ça me révolte, ça. Pourquoi elle parle de lui ? Elle n'a pas à parler de lui, c'est moi qui suis là, qu'elle s'occupe de moi et pas de mon père, qu'elle n'aille pas raconter tout ça sur lui ! Je suis en colère, je dis au juge que c'est écœurant. Écœurant. J'ai envie de vomir, de crier, mais mon avocat m'a dit de ne parler que si on m'interrogeait, alors je me contiens. Ça fait mal. Et je regarde le juge.

Lui, il est calme. Fort calme. Il prend des notes. Il ne laisse rien paraître. Il écoute toutes ces choses, sereinement, attentivement, comme si elles ne le gênaient pas le moins du monde. Est-ce parce qu'il a l'habitude de toutes ces horreurs ? Est-ce qu'il la croit ? Il se tourne vers moi : « Vous avez entendu les déclarations précises et circonstanciées de Mme Badaoui. Comment expliquez-vous ces accusations ? »

Et je n'ai rien d'autre à lui répondre que : « Je ne sais pas. » Que je n'ai pas participé à tout ça. Que je ne connais pas cette dame. Et là, Myriam Badaoui ressort son mouchoir. Elle pleure. Elle pleure et elle couine : « Comment peut-il déclarer que ce n'est pas vrai ? » Et elle se mouche. Mais, moi, qu'est-ce que je peux répondre, qu'est-ce que je peux dire d'autre que : « Je n'ai rien fait » ? Je vois bien que ça ne fait pas le poids devant tous ces détails, toutes ces accusations, tous ces pleurs et ces coups de mouchoir. Je leur dis que je ne peux pas inventer pour leur faire plaisir. Je cherche, je cherche, mais je ne trouve rien d'autre à dire. Même mon avocat ne parle presque pas. Je suis mal barré. Le juge se tourne maintenant vers Aurélie Grenon.

Elle aussi, elle pleurniche. Il lui demande ce que j'ai fait aux enfants. Et elle redit la même chose que Myriam Badaoui. Pareil. En fait, tout de suite, je m'en rends compte : elle répète. « Comme Mme Badaoui l'a expliqué... », et c'est reparti. Les mêmes horreurs. Elle dit tout ça du bout des lèvres, comme un peu dégoûtée, elle ne parle pas fort, elle regarde par en dessous, elle a l'air timorée, elle serre son Kleenex entre ses doigts. Et puis tout d'un coup Myriam Badaoui lève la voix, elle en rajoute et tout le monde se réveille. Elle précise que les faits ont commencé en 1996, l'année où le petit Charly avait reçu comme cadeau de Noël... une cassette pornographique.

Ça... ? Pour Noël ? Mais à qui j'ai affaire ? Qui sont ces monstres ? Et, en 1996, j'avais quinze ans ! Quinze ans... Est-ce qu'il y a des garçons de quinze ans capables de faire ça à des enfants ? Est-ce que ça existe, ce monde-là ? Et je repense à mes neveux, à mes nièces, je les ai gardés si souvent, j'ai joué avec eux tellement de fois... que Dieu veille sur eux pour toujours, c'est ce que je me dis... J'ai la nausée.

Mais le juge se tourne vers David Delplanque.

Et il lui demande la même chose. Et lui aussi répète ce qu'a dit Myriam Badaoui. Il a la tête baissée, il n'a pas l'air sûr de lui, mais il répète quand même. Et je comprends que je suis pris dans un piège : ils sont trois et c'est elle la chef, eux ils suivent, ils s'alignent sur Myriam Badaoui. Ils sont puissants. Et moi, je suis tout au bout de la rangée, loin du juge, sur ma chaise, et je ne peux rien faire contre ça. Ils ont l'air tellement sûrs d'eux. Ça fait peur, tellement ils sont sûrs d'eux. Ils sont plus en confiance que moi je ne le suis. Ils voient que je suis déstabilisé, alors ils continuent, ils m'enfoncent encore plus. Je sens bien une chose : je suis en train de perdre le match. Je ne fais pas le poids.

Et je me dis que l'arbitre est un tricheur.

Je regarde tout le monde se lever, c'est fini. Je suis anéanti. C'est la désolation. Tous ces mots abominables résonnent encore dans ma tête. Ce n'est pas mon monde, ce n'est pas mon monde à moi, je n'ai jamais fait de mal à un enfant. Moi, je suis de Wimereux. Je passe la porte du bureau. Dans le couloir, je vois Myriam Badaoui. Elle est en train de rire. Elle me regarde et elle rigole. Ça me fait comme un coup de poignard dans le cœur. Et Aurélie Grenon, elle est là aussi. On a presque le même âge. Comment une demoiselle aussi jeune peut avoir fait de telles horreurs ? Les policiers m'emmènent, ils m'ont remis les menottes. Et là, je tombe des nues : la demoiselle s'en va. Moi, je repars avec les policiers mais, elle, elle s'en va. Toute seule...

Alors je comprends : « Réfléchissez bien, monsieur Legrand, on a relâché une personne qui a avoué... » C'est elle.

C'est le monde à l'envers : moi, je n'ai rien fait et je suis en prison. Mais Aurélie Grenon est libre...

Cette confrontation du 17 décembre 2001 fut la seule occasion jamais donnée à Daniel Legrand fils de se défendre et de confondre ses accusateurs.

Mis face au trio Badaoui-Grenon-Delplanque, quelle chance avait-il de faire entendre sa voix ?...

Question du juge : « Comment expliquez-vous que les trois personnes ici présentes, qui par ailleurs reconnaissent les faits qui leur sont reprochés, incarcérées dans trois maisons d'arrêt différentes et qui n'ont pas pu se concerter, fassent des déclarations précises, circonstanciées et convergentes à votre encontre, si ce n'est qu'elles disent la vérité ? »

Réponse du jeune Daniel Legrand : « Il y a peut-être erreur sur le "Daniel Legrand". Moi, ma vérité, c'est que je n'ai rien fait. Peut-être que l'on fait du mal à des enfants. J'adore trop les gosses pour leur faire du mal. Ces personnes n'ont pas de remords. »

Intervention spontanée de Mme Badaoui : « J'ai quelque chose à ajouter. Je vais vous dire pourquoi je m'en souviens. Lui tenait le magasin[1] et discutait avec mon mari pendant que moi, je me faisais "enculer" par son père. J'aurais dû dire "pénétrer", mais il ne reconnaît rien et ça m'énerve. Il dit que c'est écœurant, mais en fait, ce qui est écœurant, c'est ce qu'on a tous fait aux enfants. Je n'arrive pas à dormir, à me regarder dans une glace, et je suis sous traitement. J'ai encore les regards des enfants lorsqu'ils me suppliaient et qu'ils me disaient : "Maman, arrête, ne fais pas ça." Lui, il n'a pas de remords. »

Intervention spontanée de Daniel Legrand : « Je voudrais que ces personnes disent la vérité et ne disent pas des mensonges, qu'elles soient vraiment honnêtes parce qu'elles jouent avec ma vie et celle des enfants. »

Lors de cette confrontation, le mot de la fin était accordé au jeune Daniel : « Je sortirai la tête haute de cette histoire... »

1. Le sex-shop de Boulogne-sur-Mer.

Daniel Legrand FILS
Au sortir de la confrontation
17 décembre 2001

Je ne peux pas rentrer là-bas.

La voiture refait le chemin en sens inverse, on retourne sur Loos. On quitte le tribunal de Boulogne-sur-Mer. Je veux rentrer chez moi. Je suis assommé.

Pourquoi la demoiselle est libre ?

Je ne vais pas m'en tirer. Ils sont trois contre moi. Le juge est de leur côté. Mon avocat n'a pas l'air de dire grand-chose. Il faut que je sorte.

Pourquoi la demoiselle est libre ?

Comment on va faire ? Si c'est comme ça pour moi, c'est sûrement pareil pour mon père.

Et cette jeune fille, elle, elle est libre. Elle va passer Noël avec sa famille. Elle ne se fait pas insulter en prison, elle ne se fait pas cracher à la figure.

Il est tard dans l'après-midi et les guirlandes sont toutes allumées.

Pourquoi elle est libre ? Pourquoi pas mon père ? Pourquoi pas moi ?

Le parking de Loos, les grands bâtiments lugubres, la porte d'entrée, le petit escalier, les couloirs, l'accueil… Je suis fouillé par les gardiens. Je suis comme un automate. J'ai les jambes sciées. Je n'arrive plus à penser. Moi je retourne en prison, alors que je n'ai rien fait. Tandis que elle, elle a violé des enfants.

On m'emmène dans ma section. Je regarde les grands filets entre les étages, j'ai le vertige. Dans combien de temps je sortirai ? Quinze ans, vingt ans ? J'ai l'angoisse plaquée au ventre. J'entre dans ma cellule.

Philippe me regarde : « Alors ? » Je lui dis qu'ils ont tout confirmé. Il répond : « C'est pas possible ! T'es vraiment mal barré. Si tu ne vas pas dans leur sens, tu vas en prendre au moins pour quinze ans… »

Aller dans leur sens ?

Je suis épuisé.

À la télévision, il y a le journal de 20 heures. Mais je n'ai pas la tête à regarder, je m'allonge. Je veux dormir, fermer les yeux, disparaître de cette cellule.

Aller dans leur sens ? « Réfléchissez bien, monsieur Legrand… »

Elle me fait un sourire, ça me réchauffe le cœur. Et elle me tend du café, dans la petite tasse bleue que j'aime bien. C'est Peggy. Je suis chez ma sœur, dans le petit pavillon beige de Saint-Martin-Boulogne. Il y a du soleil. Et qu'est-ce que je suis bien…

Clac ! C'est violent et ça résonne de partout – clac ! clac ! clac ! – Je me réveille, j'ouvre les yeux. Les gardiens actionnent leurs clés dans les serrures pour nous faire lever, ça fait un boucan incroyable, ça se propage à tous les étages, c'est comme ça tous les matins. Je ne suis pas chez ma sœur, c'était un rêve. Je suis encore là. C'est un cauchemar.

Alors je repense à la demoiselle.

Toute la journée du 18 décembre, Daniel Legrand fils songeait à Aurélie Grenon, celle qu'on avait libérée...

Le lendemain, 19 décembre, deux jours après sa confrontation avec Myriam Badaoui, il était de nouveau convoqué chez le juge.

Daniel Legrand FILS
Sur le chemin de Boulogne-sur-Mer
19 décembre 2001

Est-ce que je dois le faire ? Est-ce que c'est le seul moyen ? Toute la journée d'hier, je me suis posé cette question. Et même maintenant, je n'ai pas la réponse.

Tout ce que je sais, c'est ça : je ne veux pas passer le reste de ma vie en prison. Et je veux que mon père retrouve aussi sa vie d'avant.

Alors est-ce que je dois le faire ?

« Réfléchissez bien, monsieur Legrand, on a relâché une personne qui a avoué... »

Daniel Legrand fils entrait dans le bureau de Fabrice Burgaud, accompagné de son avocat, maître Rangeon, pour un interrogatoire de curriculum vitæ. Interrogatoire ayant pour objectif, selon la procédure, de cerner la personnalité du mis en examen en lui demandant des détails sur son enfance, son parcours, son caractère... Le jeune homme commençait à répondre : l'école, les amis qu'il fréquentait... mais il semblait ailleurs. Préoccupé.

Tout à coup, sans crier gare, il interrompait l'audition : « Je voudrais revenir sur mes propos et dire la vérité pour ne pas prendre pour les autres. Je préfère prendre ma part et ne pas prendre la part des autres. »

Daniel Legrand expliquait alors qu'il se trouvait bien « là-bas, à Outreau », chez Myriam Badaoui. Il avouait « avoir fait l'amour avec ses enfants ». « Faire l'amour », parce qu'il n'arrivait pas à redire tous ces mots que cette femme avait prononcés devant lui. Et lorsque le juge réclamait des précisions et qu'il devait alors évoquer « godemichés » ou « fellations », il bredouillait et rajoutait : « ... Et puis tout ça... »

Lorsque Fabrice Burgaud lui demandait également des noms d'enfants, il répondait qu'il y avait des garçons et des filles, mais qu'il n'avait « pas bien fait attention aux prénoms ». Avec tous ces enfants, il s'était passé « comme le disait Myriam »...

« Question du juge : Quand est-ce que c'était ?

Réponse : C'était comme elle dit Myriam, dans ces dates-là. Ça a commencé, comme elle a dit, en 1996, et ça s'est terminé au début de l'année 2000.

Question : Y avait-il des films ou des photographies pris ?

Réponse : Ça arrivait qu'on soit filmés et qu'il y ait des photos prises, mais le plus souvent, on était filmés. Il arrivait qu'on le fasse, mais en n'étant pas filmés. Il y a eu aussi dans la cave, comme elle disait, mais il y a eu peu de fois.

Question : Êtes-vous allé en Belgique ?

Réponse : Non, les lieux où je me trouvais étant toujours chez elle.

Question : D'autres personnes de votre famille venaient-elles avec vous ?

Réponse : Non, je venais seul [...]. »

Le juge Fabrice Burgaud lui montrait ensuite des photographies : des enfants, des adultes, par dizaines. Le jeune Legrand désignait alors ceux qui, selon lui, avaient subi des sévices, et ceux qui leur en avaient fait subir.

Ce jour-là, après avoir précisé sept fois : « C'est comme elle disait Myriam » ; après avoir ajouté quatorze fois, en désignant coupables et victimes sur les photographies : « ... mais je ne suis pas sûr » ; après avoir expliqué, lorsqu'il ne se souvenait plus très bien : « Je m'occupais juste de moi et de ce qu'on me disait de faire », le jeune Daniel Legrand terminait ainsi sa déposition : « Je voudrais m'excuser auprès des victimes et envers la justice parce que j'ai nié les faits au début. »

À l'école, au collège, tous les maîtres et professeurs du fils Legrand félicitaient régulièrement sa mère : le petit Daniel était connu pour sa grande gentillesse... et son extrême politesse.

Daniel Legrand FILS
33e jour de détention, Loos-lès-Lille
19 décembre 2001

Je l'ai fait. Je suis sur mon lit. Je regarde le plafond. Je ne veux plus parler à personne. Je l'ai fait. Je me suis mis dedans.

Cette fois, pour cet interrogatoire de curriculum vitæ, on m'a installé sur une chaise bien en face du juge, tout seul. Il ne m'a pas dit bonjour. Il a commencé à me poser des questions sur ma vie, je répondais, il me regardait à peine, il prenait des notes sur une feuille de papier. Toujours aussi sec et froid. En voyant ça, en le regardant écrire, tout à coup, ça m'a pris à la gorge : j'ai compris qu'il fallait le faire. Qu'il n'y avait pas d'autre solution. Qu'il ne m'écouterait jamais. La veille, j'y avais pensé toute la journée. Je m'interrogeais. Mais je ne savais pas si je le ferais. Je me disais : « On verra. » Mais en regardant le juge, ça a été le déclic, j'ai compris : perdu pour perdu, il fallait absolument avouer.

Et j'ai lancé : « Je voudrais dire quelque chose. Je voudrais changer d'avis. »

Le juge a levé la tête. Il m'a regardé. Et il y est allé

tout doucement. Il a changé de feuille, il a dit : « On va arrêter le CV. » Et il m'a demandé de tout lui raconter. Sa voix avait changé, c'était la première fois qu'il était gentil avec moi. Mon avocat m'observait, il avait l'air étonné : je ne l'avais pas prévenu.

Ça sortait tout seul, je racontais n'importe quoi, je ne cherchais même pas, j'inventais au fur et à mesure. Il suffisait de se rappeler tout ce qu'avait dit Myriam Badaoui pendant la confrontation, il y a deux jours. Je me servais de ses paroles, de ses expressions, je répétais. Comme la demoiselle et David Delplanque, ce n'était pas compliqué : juste répéter. Je me rappelais aussi les détails donnés par les *Détective* lus en prison.

J'ai dit que « ça » se passait toujours chez Myriam et Thierry, jamais ailleurs. Je pensais : « Pourvu que le juge ne me demande pas à quoi ressemble l'appartement de ces gens-là... » Mais, heureusement, il n'a pas demandé, sinon j'aurais été bien embêté. D'ailleurs, c'est pour ça que j'ai déclaré être allé seulement au domicile des Delay : d'ici à ce qu'il me demande de décrire une ferme en Belgique...

Le juge était content, carrément content, il notait, il se levait, les mains dans les poches, il se rasseyait, de plus en plus confiant. Il m'encourageait : « Allez, n'hésitez pas, monsieur Legrand, vous pouvez dire des gros mots et tout ça ! » J'étais étonné qu'il me demande une chose pareille, mais j'essayais d'en trouver, je me rappelais ceux de Myriam, je me forçais à répéter ses expressions vulgaires. C'était gênant, je n'avais jamais parlé comme ça avant, ce sont des mots que j'ai appris d'eux : Myriam, Aurélie, David, les policiers, les détenus... Ça fait mal de dire tout ça quand on sait qu'on n'a rien fait. Mais lui, il ne comprend pas ça, le juge, il croit vraiment que je suis coupable. Alors je lui ai donné ce qu'il voulait. J'avais l'impression de me faire mal à moi-même, de me mettre un poignard dans le cœur. C'est une douleur. J'étais triste quand même d'en arriver là, j'étais triste, triste. Je n'étais pas fier de moi. Mais je voulais sortir de là, c'est tout. C'est ça, le truc : je veux sortir de là.

Alors quand il me montrait des photos d'adultes : « Et lui, il a fait quelque chose ? », « Et elle, elle a fait quoi ? », je répondais au hasard : « Lui, oui, enfin je ne suis pas sûr », « Elle, non », « Lui, oui, il me semble... » Ça me mettait mal à l'aise. Parce que je ne m'attendais pas à ça : accuser des gens. Je pensais à m'accuser, mais pas à en accuser d'autres. Mais c'était trop tard, il fallait le faire. Le juge mettait son doigt sur une photo, il me montrait bien le visage avec son index : « Il a fait quelque chose, celui-là, Alain Marécaux[1] ? » Je ne connaissais pas toutes ces personnes, je me disais : « Ah, donc c'est lui, Alain Marécaux... » Je répondais : « Oui, Alain Marécaux, il y était. » J'avais honte. Mais en même temps, c'était bizarre, je me sentais à nouveau fort.

Je remontais le terrain, je passais à l'attaque. Rien ne pouvait m'arrêter, je ne sais pas comment expliquer.

---

1. Fabrice Burgaud dément avoir « aidé » certains des inculpés en leur donnant des indices sur l'identité des personnes présentes sur les photographies.

Je faisais enfin bouger les choses. Je reprenais ma vie en main. J'étais persuadé que ça allait remuer, que ça allait faire basculer quelque chose. Alors j'y allais. Maintenant que je m'étais jeté à l'eau, je rentrais dedans. J'étais à la fois remonté comme une pendule et triste. Humilié et fort. K-O et plein d'espoir. Paumé. C'était bizarre, tous ces sentiments différents à la fois.

Mais, en sortant du bureau, je me suis dit une chose : j'ai fait le bon choix. J'étais soulagé. Parce que j'avais l'impression d'avoir vidé mon sac, même si je n'avais rien dans mon sac, j'avais l'impression d'avoir vidé ma colère, de m'être débarrassé de toutes ces accusations que je portais sur mon dos depuis des semaines. C'est drôle à dire, mais c'est comme ça : en disant que j'étais coupable, c'est comme si je me libérais de toutes ces accusations, de toutes ces horreurs. Et ça m'a défoulé. J'ai craqué de colère. C'était trop énervant. J'ai lâché toute la pression, sur moi et sur d'autres personnes. Mais au moins, elle n'était plus à l'intérieur de moi.

Et puis comme ça, maintenant, il va me relâcher, le juge. Comme Aurélie Grenon. J'ai besoin de sortir, d'être dehors. Je ne suis pas à ma place ici. Je me dis que, une fois libéré, je vais enfin pouvoir trouver la vérité. Je serai plus utile dehors que dedans. Je vais tout arranger. Pour moi et pour mon père. Et puis, la liberté... c'est la liberté. On ne peut pas savoir quand on n'en a jamais été privé.

En sortant, ça m'a fait plaisir, le juge m'a dit au revoir, il était aimable, je n'avais plus l'impression d'être un monstre à ses yeux. C'est drôle : j'étais content de l'avoir satisfait...

Alors oui, en quittant le palais de justice de Boulogne-sur-Mer, en regardant le plafond ce soir, je me dis que j'ai fait le bon choix, même si c'est douloureux, même si c'est honteux. Mais je repense aux enfants de cette femme, ça me donne des frissons rien que de penser à eux. C'est pour ça que, à la fin de l'audition, je leur ai demandé pardon. C'est normal. Parce que, si je leur avais vraiment fait ça, ce serait hideux. Je suis tellement désolé pour eux, pour tout ce qu'il leur est arrivé, à ces gamins. La moindre des choses, c'est quand même de s'excuser. Même quand on n'a rien fait...

Sinon, on est vraiment des bêtes.

Les aveux de Daniel Legrand fils comportaient quelques petites incohérences qui auraient dû attirer l'attention du juge Fabrice Burgaud.

Le jeune homme désignait notamment parmi ses « complices » un certain Jean-Marc Couvelard.

Jean-Marc Couvelard faisait partie de la première série de noms donnés par le petit Vladimir Delay, juste après que ce dernier eut dénoncé ses parents. L'homme était même en premier sur la liste des tortionnaires. Car il était très méchant, avait insisté l'enfant : il lui mettait des baguettes de pain dans le derrière, et lorsque celles-ci étaient trop grosses, il en fabriquait de plus petites... En se basant sur les nombreuses déclarations des fils Delay, les policiers du commissariat de Boulogne-sur-Mer procédaient, le 6 mars 2001, à une première vague d'arrestations : étaient interpellés à leur domicile Aurélie Grenon, David Delplanque, Thierry Dausque, Franck Lavier, Sandrine Lavier.

Et Jean-Marc Couvelard.

L'homme habitait à trois cents mètres de la Tour du Renard. À 6 heures du matin, les policiers sonnaient à la porte du petit pavillon. Sa mère ouvrait. On lui annonçait que « Couvelard Jean-Marc » devait les suivre au commissariat pour y être interrogé. Sa mère rétorquait qu'il devait y avoir erreur sur la personne. On insistait fermement : il n'y avait pas le choix. Jean-Marc dormait encore à l'étage ; depuis le rez-de-chaussée, Jeanine Couvelard lui criait donc de descendre immédiatement car il leur fallait se rendre en ville. Et elle ajoutait : « Allez, viens : maman va t'habiller... »

Un ange passa au-dessus des policiers. Le capitaine chargé de l'interpellation interrogeait : « Mais... votre fils ne s'habille pas tout seul ? Quel âge a-t-il ? – Quarante-trois ans », répondait Jeanine. Le policier ne semblait toujours pas saisir, la dame précisait donc : « Depuis que Jean-Marc est né, je le lave, je l'habille, je le rase, je lui sers à manger, je lui coupe sa viande et, avec le respect que je vous dois, monsieur, quand il va aux toilettes, c'est moi qui l'essuie... »

Jean-Marc Couvelard est handicapé mental et physique depuis sa naissance. Hydrocéphale. Incapable de parler, voire de comprendre. Incapable de marcher sans le soutien d'un tiers. Incapable, *a fortiori*, de gravir les cinq étages de l'immeuble des Merles jusqu'à l'appartement de Myriam Badaoui. Incapable de retenir, et même ne serait-ce que de tenir, un enfant dans ses bras. Zéro sexualité.

Donc, pour la fabrication des baguettes de pain...

On embarquait tout de même Jean-Marc Couvelard, en compagnie de sa mère, forcément, puisqu'il ne pouvait pas se déplacer seul. L'homme était relâché quelques heures plus tard, il avait bien fallu se rendre à l'évidence : il ne comprenait absolument pas les questions qu'on s'évertuait à lui poser. Par ailleurs, un psychiatre l'ayant examiné avait bel et bien reconnu qu'il était handicapé. À cent pour cent...

En s'appuyant sur le bras de Jeanine, Jean-Marc Couvelard rentra lentement chez lui. Dans les mois qui suivirent, on ne s'occupa plus de son cas, ou quasiment. Mais il ne fut jamais déclaré innocent des actes qui lui avaient été reprochés. Très prudemment, on le jugea « pénalement irresponsable ». Des fois que...

Interpellé par le visage de cet homme que le handicap déformait depuis toujours, Daniel Legrand fils s'était dit qu'il y avait peut-être là une bonne tête de coupable, il avait donc signalé le handicapé comme faisant partie des violeurs des enfants Delay...

Il avait également désigné quatre autres adultes, cités par les enfants pour leur avoir « fait des manières ». Adultes dont Myriam Badaoui n'avait pas confirmé la culpabilité, et qui donc n'avaient jamais été mis en examen. « Dénoncés » désormais par le jeune homme, ils ne furent, curieusement, pas inquiétés pour autant.

En revanche, le témoignage du jeune homme fut pris très au sérieux lorsqu'il indiqua la présence, lors des séances de viols, de quelques autres « vrais » coupables, entendons par là des personnes désignées par Myriam Badaoui.

Autrement dit : Daniel Legrand était jugé crédible quand il accusait des personnes d'ores et déjà accusées par Myriam Badaoui. Il l'était beaucoup moins quand il accusait des personnes que celle-ci n'avait jamais incriminées et que, par conséquent, on ne jugeait pas nécessaire d'envoyer en prison.

Myriam Badaoui était donc, si l'on peut dire, l'étalon de référence. La maîtresse de cérémonie. Le vent qui soufflait sur la grande roue de la loterie.

En ce qui concerne les enfants victimes de sévices, devant la photographie d'Anne-Sophie Godard, Daniel Legrand fils avait acquiescé, « Oui, elle, elle a bien subi des choses. »

Anne-Sophie Godard : aucun des enfants Delay ne l'avait désignée comme ayant été victime d'agressions sexuelles. Surtout, elle-même ne s'était jamais plainte d'avoir été violée. La jeune fille de dix-sept ans avait à cette époque un seul tourment, mais de taille : elle ne comprenait pas pourquoi on avait envoyé sa mère en prison. L'adolescente était en effet la fille de « la boulangère », Roselyne Godard, arrêtée en avril 2001. D'où la présence de sa photographie dans l'album présenté à Daniel Legrand, album où l'on avait recensé tous les enfants vivant aux environs de la Tour du Renard, ainsi que tous ceux ayant un lien direct ou indirect avec les mis en examen, bref, impliqués de près, voire de loin, à toute cette histoire.

Anne-Sophie Godard ne le savait pas encore mais, dans les semaines à venir, le 20 février 2002 très exactement, elle allait vivre un second choc : séparée de sa mère, la jeune fille allait apprendre en rentrant du lycée que son père, Christian Godard, « le mari de la boulangère », avait été incarcéré à son tour. Accusé par Myriam Badaoui et ses enfants...

Pour en revenir aux aveux de Daniel Legrand ce 19 décembre 2001, le jeune homme n'avait pas seulement désigné Anne-Sophie Godard. Il avait montré, dans l'album, d'autres petites victimes sur lesquelles il disait s'être rendu coupable d'ignominies. Ces enfants avaient tous un point en commun : ils avaient effectivement déclaré avoir subi « des manières » de la part d'à peu près tout le monde... sauf de Daniel Legrand.

Mais au diable les détails, après tout, l'idée générale était là, et bien là : Daniel Legrand fils avait avoué. Et de quatre. Myriam Badaoui, Aurélie Grenon, David Delplanque et Daniel Legrand fils : le réseau international de pédophilie commençait à prendre tournure, les autres finiraient bien, eux aussi, par passer aux aveux...

L'information était immédiatement reprise par la presse.

Nadine Legrand achetait tous les matins le journal pour savoir comment évoluait l'affaire de son fils et de son mari. Ce jour-là, un article commençait en annonçant qu'un des suspects arrêtés en novembre dernier avait fini par craquer. Avant même de lire le nom de ce dernier, elle partit d'un long rire nerveux puis éclata en sanglots : elle avait déjà compris qu'on parlait de son fils. Parce que Daniel avait toujours été le plus timide de ses cinq enfants, parce qu'il était si gentil qu'on lui répétait d'apprendre à dire non, parce qu'elle savait qu'il ne tiendrait pas le choc de la détention, lui qui n'avait jamais supporté d'être séparé des siens ne fût-ce que quelques jours. La suite de l'article lui donnait raison : Daniel Legrand fils avait avoué.

En pleurant, Nadine se tourna vers sa fille : « Regarde, Peggy, ils sont en train de rendre fou le gamin... »

Daniel Legrand PÈRE
39e jour de détention, Amiens
Noël 2001

Habituellement, je ne prends presque pas de congés. Sauf à Noël : j'ai toujours voulu être à la maison pendant les fêtes. Cette année, c'était mes seules vacances. Et je me retrouve là, en prison. À la place d'un autre... Le cafard m'est tombé dessus. J'en pleurerais tellement je voudrais être avec les miens.

À la télévision, les présentateurs sont sur leur trente et un et ça brille de partout. Ça fait mal au cœur. J'allume la lumière dans la cellule, il fait vraiment trop sombre. À la maison, ça ne doit pas être joyeux non plus. Nadine m'inquiète : dans ses lettres, elle n'a pas l'air d'avoir le moral.

Ce matin, à mon étage, un jeune a cassé une fenêtre, puis sa télé. Et il a fini par faire cramer sa cellule. Il criait, il voulait sortir, ça sentait trop Noël. Je regardais les pompiers, j'écoutais tout le monde s'activer. Je me demandais ce que devenait ce gosse qui avait disjoncté.

Et je pensais à mon fils.

Il y a cinq jours, le 20 décembre, j'ai été convoqué par le juge d'instruction. Je me disais que les choses avaient peut-être bougé, j'avais un peu d'espoir quand même. En arrivant au palais de justice de Boulogne, je comptais voir Daniel. J'ai attendu dans un couloir, je le guettais. Si seulement je pouvais le voir, même deux minutes... Puis maître Duport est arrivé. J'ai parlé avec lui pendant un quart d'heure, dans une pièce à part, avant d'aller voir le juge. C'est là que j'ai appris.

« Votre fils a avoué les faits qui lui sont reprochés... »

Cette nouvelle, ça m'a comme écrasé le cœur avec une massue. Je suis resté bouche bée, à encaisser le coup. Puis, dans ma tête, en un éclair, j'ai revu le visage de mon gamin : quand il s'occupe de ses neveux et de ses nièces, quand il parle de foot, quand il rougit pour un oui ou pour un non... J'ai crié à l'avocat : « Mais enfin, vous voyez pas que le "margat", il est en train de dire n'importe quoi ? ! » Pour moi, ça coulait de source : non, c'est impossible, le fils ne peut pas avouer, tout simplement parce qu'il n'a rien fait ! Il pète un plomb, c'est tout. J'avais du mal à respirer. On nous accuse tous les deux en même temps et pour la même chose, alors si c'est faux pour moi, c'est faux pour lui aussi : il n'y a pas de doute. Donc, qu'on me dise qu'il a avoué ça ou ça, même pas cinq secondes j'y crois. Mon fils, il est trop honnête, je ne peux pas penser ça de lui. Bon sang, mais qu'est-ce qu'il faut faire pour qu'on nous écoute un peu ? On m'aurait dit : « Il a volé », passe encore... Mais ça, jamais. Jamais, jamais, jamais. Faudra me passer sur le corps pour que je me mette à douter de lui. Non, ce qui me retourne complètement, c'est qu'il ne doit pas être bien dans sa tête pour en arriver là. Maître Duport s'est mis à me regarder longuement, il voulait savoir si, moi aussi, j'avais l'intention de faire des aveux pendant l'interrogatoire. Mais, pour ça aussi, il faudra me passer sur le corps. Et plutôt deux fois qu'une.

Puis on est entrés dans le bureau du juge, je l'ai regardé, il était assis, le nez dans ses papiers. Et je me suis demandé : « Mais qu'est-ce qui a bien pu se passer là-dedans, pour que le "margat" se mette à délirer comme ça ?... »

Mon enfance, mon mariage, mon travail : tout y est passé. C'était un interrogatoire de curriculum vitæ. Il voulait savoir, j'ai répondu, je n'ai rien à cacher. J'ai une vie simple et nette, je suis comme tout homme doit être : je travaille, je ramène mon mois à mon épouse et j'élève mes gosses. Ce n'est pas plus compliqué que ça. Le juge notait, je le regardais. Et je pensais à mon gamin. Moi, j'ai vécu. Mais Daniel, à vingt ans, son CV, il devrait être en train de le bâtir dehors. Pas derrière des barreaux.

Ensuite, j'ai fait signe à maître Duport. Il a sorti une photo de moi. J'avais demandé à Nadine de la retrouver et de la lui envoyer. Peggy l'a prise il y a deux ans, je suis entouré de mes petits-enfants. Dessus, on ne voit que ça : l'énorme kyste qu'à l'époque j'avais au lobe de l'oreille gauche. Un truc gros comme une bille de flipper. Au point que les collègues m'appelaient « Bouboule », et Daniel « la Boulette », pour me narguer. Le kyste avait commencé à grossir en 1990, ça ne me gênait pas plus que ça, mais en 1998 j'avais décidé de m'en débarrasser : mon patron avait peur que ça gêne les clients. Donc je me suis fait opérer, ça faisait tout de même plus propre. Et juste avant que je passe entre les mains du chirurgien, Peggy avait pris une photo : elle disait que ça ferait un souvenir...

Comme je lui ai demandé, Nadine est aussi allée chercher à l'hôpital le certificat du médecin : le kyste a été enlevé le 6 octobre 1998. C'est écrit dessus et, devant le juge, l'avocat a bien insisté sur la date. Parce que Myriam Badaoui m'accuse d'avoir violé ses enfants à partir de 1996. Or, elle n'a jamais parlé de ce kyste à l'oreille, que j'avais encore en ce temps-là. Pourtant, comme a dit maître Duport au juge, c'est quand même un signe particulier non négligeable. Donc, si tous ces gens qui m'accusent ne l'ont pas signalé, mais qu'en même temps ils sont capables de se rappeler la couleur de mes slips d'il y a quatre ans, il y a quand même un sacré problème...

Sans parler de ma phalange amputée à la main droite : il y a plus de vingt ans, elle est passée dans une machine à l'atelier, chez Delattre. C'est criant, même un des flics pendant la garde à vue s'était exclamé : « Ça, ça peut servir ! » J'ai montré ma main au juge et je lui ai dit : « Alors dites-moi : comment ça se fait que personne n'en ait parlé non plus, de cette phalange ? »

Il a regardé mon doigt, il a pris la photo du kyste, il l'a mise dans un dossier. Et je suis rentré en prison pour y passer Noël.

Je prends le bloc-notes, je m'assieds sur la couchette et j'écris à Nadine. Je ne veux pas lui dire, pour Daniel. Je ne sais pas si elle est au courant qu'il a craqué, je préfère ne pas l'inquiéter. Mais je lui dis qu'il faut qu'elle aille le voir. Pourquoi ils ne lui ont pas encore donné d'autorisation pour les visites au parloir, ni pour lui, ni pour moi ?

Il faut absolument qu'il renoue avec quelqu'un de sa famille, qu'on le touche, qu'on le rassure. Lui non plus, il n'a vu personne depuis plus d'un mois. C'est difficile pour moi, alors j'imagine trop bien ce que ça doit être pour lui, qui n'est encore qu'un gosse...

Même si je sais que, maintenant, il reçoit son courrier : mes lettres et celles de Nadine et de Peggy. Elles me l'ont dit : il a écrit pour les remercier et en redemander d'autres. Il paraît qu'elles ont régulièrement de ses nouvelles, qu'il leur dit qu'il va très bien et qu'il a le moral à fond. Je commence vraiment à me demander si c'est vrai. Peut-être qu'il fait comme moi : il ne leur raconte pas tout. Pour ne pas les angoisser.

Moi, j'aimerais bien recevoir de ses nouvelles aussi. Mais c'est bizarre : je n'en ai toujours pas...

Daniel Legrand FILS
39e jour de détention, Loos-lès-Lille
Noël 2001

Je n'ose pas trop écrire à mon père.

Si je lui dis que je vais bien, il ne me croira pas. En tout cas, il se doutera bien que je veux le tranquilliser. Parce que lui, il sait comment c'est dur, là-dedans. Ma mère, ce n'est pas pareil : elle ne peut pas imaginer. Donc, pour moi, c'est plus facile de lui écrire à elle et de lui assurer que tout va bien.

Et puis j'ai peur de sa réaction.

Moi, j'ai craqué. Pas lui. Peut-être qu'il sera déçu ? Peut-être même qu'il croira à tout ça ? Si l'on était l'un en face de l'autre, je lui expliquerais pourquoi j'ai avoué, il comprendrait tout de suite, il ne douterait pas de moi, il me serrerait dans ses bras. Mais là, comme ça, éloignés, sans se voir depuis plus d'un mois... Alors je ne lui écris pas, je n'ai pas le courage. Mais je sais une chose, et j'y pense tous les jours : je l'aime encore plus qu'avant.

Parce qu'il tient le choc et qu'il ne lâche pas le morceau. Ça me fait plaisir. Au commissariat de Calais, ou dans le couloir du palais de justice lorsqu'on attendait de voir le juge pour la première fois, je le regardais, et je savais de toutes mes forces qu'il allait tenir, qu'il n'avouerait jamais des choses qu'il n'avait pas faites. Alors, je serrais les dents et je faisais comme lui : je tenais bon.

Mais ensuite, on a été séparés...

La semaine dernière, j'ai craqué parce que je n'en peux plus, parce que je veux sortir d'ici, retrouver les miens, provoquer quelque chose. Je crois que, si j'ai fait ça, c'est parce que je sais que mon père, lui, il ne le fera jamais.

Il est tellement innocent qu'il est innocent pour nous deux. C'est un peu comme si mon innocence à moi, je la remettais entre ses mains, ses deux mains de courageux. Et en attendant la vérité, s'il y en a un qui doit faire bouger les choses, et que la seule manière de le faire c'est de craquer, alors, forcément, c'est moi.

J'ai honte, c'est vrai. Parce que ce n'est pas très beau, ce que je fais, et que je n'ai pas été élevé comme ça. Je suis désolé. Je l'aime, mon père. Je l'admire. J'aurais bien voulu qu'il soit fier de moi.

Mais je continue à penser que j'ai fait le bon choix.

Donc j'attends. Chaque minute depuis mes faux aveux, je guette le gardien. J'attends qu'il vienne m'ouvrir la porte. Je dresse l'oreille, lorsque des pas s'approchent. J'entends des clés dans une serrure, et : « Un tel, libérable ! Un tel autre, libérable ! », des portes qui s'ouvrent et qui se referment, mais ce n'est jamais pour moi, et je suis trop dégoûté. Et l'angoisse dans mon ventre continue de grossir. Quand est-ce que le juge va me faire sortir de là ? Il l'avait dit pourtant : « Réfléchissez bien, monsieur Legrand, on a libéré une personne qui a avoué... » J'ai fait comme il m'a dit : j'ai « réfléchi ». J'ai dit ce qu'il voulait entendre. Et tout de suite après mes aveux, dès que je suis revenu dans ma cellule, j'ai rempli un formulaire pour une demande de remise en liberté provisoire. Combien de temps ça va prendre ? En tout cas, c'est fort long et, en attendant, je suis toujours là.

Jamais je n'aurais cru que je passerais Noël en prison...

La télé dans la cellule pendant que, dehors, tout le monde se fait des cadeaux et s'échange de l'amour... C'est le Noël le plus triste de ma vie. Pourtant, il a un peu neigé, à Loos. Et à Wimereux ? Je pense à ma mère. Je voudrais lui écrire, mais aujourd'hui je n'ai pas le courage, je suis comme anesthésié, j'ai juste envie de rester dans mon lit et de regarder le plafond. Je ferme les paupières, parce que j'ai les yeux fatigués et tendus depuis que je suis ici. À force de voir les murs et rien d'autre, de n'avoir jamais le regard qui porte loin, comme quand on regarde la mer pendant une marée de moules, et qu'on essaie de repérer les côtes anglaises de l'autre côté de la Manche.

Demain, je lui écrirai à maman. Ou après-demain. Elle sait sûrement déjà par les journaux que j'ai craqué. Mais qu'est-ce que je peux lui dire de toute façon ? Que j'ai menti ? C'est impossible de me confier à elle : ici, on m'a prévenu, les lettres sont lues par le juge. S'il apprend que j'ai raconté n'importe quoi, j'aurai fait tout ça pour rien. Alors je ne peux rien dire à ma famille.

Je ne raconte pas grand-chose non plus à mon codétenu, Philippe. Les autres lui mettent la pression, à lui aussi : ils lui reprochent d'être en cellule avec un « sale pédophile ». Alors je ne veux pas l'embêter avec tout ça.

Et ça recommence à bourdonner dans ma tête. À tourner en boucle. Qu'est-ce que je peux faire pour en sortir ? J'ai avoué, mais est-ce que ça va suffire ? On dirait bien que non...

Est-ce qu'il y a quelque chose d'autre à faire ?

Et si oui, quoi donc ?

Daniel Legrand FILS
47e jour de détention, Loos-lès-Lille
2 janvier 2002

2 janvier 2002, 16 heures

Un grand bonjour à ma famille,

J'espère de tout cœur que vous allez bien, malgré tout ce que vous avez pu apprendre sur moi, dans les journaux, à la télé, etc.

Sachez que je vous aime très très fort, malgré tout ce qui m'arrive. Je me doute que vous devez me haïr d'avoir appris tout cela sur moi [...].

Je pense la plupart du temps à vous, à ma maman adorée, à ma sœur que j'admire plus que tout au monde, à mes deux frères, à mes neveux et nièces que j'aime énormément [...].

Peggy, merci pour la photo de mes neveux, ils sont très beaux... Et le dessin de Romain aussi, ça m'a fait très plaisir, je l'ai accroché sur le mur de ma cellule, près de la télé.

Maman, j'espère que tu prends bien soin de toi, je pense tous les jours à toi, j'espère que ton pied, ça va. S'il te plaît, prends soin de toi, ne t'occupe pas de moi, ça va [...]. Je vais bien, à part que je préférerais être à vos côtés, mais bon, c'est la vie qui le veut ainsi. [...] Aussi, ne faites pas attention à ce qu'écrivent les journaux sur moi. Sache seulement que je t'aime très très très très très fort [...]. J'espère aussi que tu prends bien soin de toi et de ta santé car, quand je sortirai, il faut que tu sois aussi belle que quand je t'ai vue pour la dernière fois.

Bébé et Gros, j'espère que vous allez bien mes frangins, je sais que vous devez avoir honte de votre frère, mais prenez soin de vous, et de maman, et des neveux [...].

Ne vous en faites pas pour moi, je vais très bien et je suis patient. Daniel a toujours été celui que vous connaissez !

Je vous laisse sur ces quelques lignes qui, j'espère, vous remonteront le moral. À très bientôt, ma famille que j'aime très fort.

Bonne année, et surtout bonne santé...

Daniel

Après ses faux aveux du 19 décembre 2001, Daniel Legrand fils recevait finalement la réponse à sa demande de remise en liberté provisoire.

Refusée.

Daniel Legrand FILS
49e jour de détention, Loos-lès-Lille
4 janvier 2002

Il s'est bien foutu de moi, le juge !

Je suis en colère. Je n'ai jamais été aussi en colère. Je tape contre les murs, je tourne en rond comme une bête. Je m'en doutais ! Je me disais qu'elle était trop longue à venir, cette réponse. Ce n'est pas possible : je ne me suis quand même pas sali pour rien !

J'ai passé Noël derrière les barreaux. Et après, le nouvel an. Ça m'a foutu en l'air, carrément ! Alors maintenant, c'est fini. J'en ai trop marre. Je n'en peux plus. Vraiment.

Je prends mon bloc-notes. Je cherche un stylo.

Ils me font tous chier ? Alors, moi aussi, je vais les faire chier !

Courrier au juge d'instruction Fabrice Burgaud :

Daniel Legrand
Écrou : 64473 A108

Le 4 janvier 2002

Monsieur,

Je vous fais part de ce courrier, pour vous faire de nouvelles révélations concernant cette affaire. Je vous fais ces révélations car je ne supporte plus de garder cela au fond de moi. Mais je ne voudrais pas endosser la mort d'une fillette, alors que je n'ai été que simple témoin.

En effet, fin 99, je me trouvais chez les Delay, quand Thierry Delay et un vieux monsieur sont arrivés, accompagnés d'une petite fille de cinq à six ans, soi-disant belge d'après Thierry. Je crois que le vieil homme, belge également, connaissait l'enfant, car elle lui tenait toujours la main. Le vieil homme a abusé de la petite, mais la petite a hurlé, et c'est là que Thierry l'a battue à mort à la tête.
Il avait même filmé, mais après ce drame, il a débobiné la bande de la cassette et l'a détruite.

Thierry m'a fait des menaces de mort. J'avais peur qu'il s'en prenne à ma famille. J'avais peur de ce que j'avais vu.
Thierry et le vieil homme ont emmené la gamine le soir, très tard, mais moi, j'étais rentré chez moi. Le reste, Thierry s'expliquera avec la justice. Je ne peux

vous en dire plus, mais sachez qu'après avoir été perturbé par cela, je me porterai mieux, soulagé d'avoir parlé.

Je ne demande qu'une chose, que la justice protège ma famille et j'espère un jour pouvoir me reconstruire.

Dans l'attente de vous voir, sachez que plus rien ne sera caché dans cette affaire. Recevez mes respects,

Daniel Legrand

Daniel Legrand FILS
50e jour de détention, Loos-lès-Lille
5 janvier 2002

Ça y est. Les deux lettres sont parties.

On m'a mis dans un film d'horreur. Alors j'ai réagi comme dans un film d'horreur.

L'idée de ce meurtre, ça m'est venu petit à petit. Après Noël. Je cherchais plus gros que les viols, quelque chose d'encore plus horrible et monstrueux. Et j'ai trouvé : un viol avec, en plus, un meurtre. Je me disais que, avec ça, Badaoui allait craquer.

Parce que, dans la lettre, j'accuse son mari d'être un meurtrier. Donc elle va vouloir le défendre. C'est normal : quand on aime son époux et qu'on sait qu'il n'a tué personne, on le défend face à un mensonge pareil.

Alors elle va craquer. Elle va déclarer que j'ai raconté n'importe quoi, que son mari n'a jamais tué qui que ce soit. Et pour qu'on la croie, elle finira par avouer : elle dira qu'elle ne voit pas comment j'aurais pu assister au meurtre d'une petite fille à son domicile, vu que, de toute façon, ni mon père ni moi n'étions jamais venus chez elle...

J'y crois dur comme fer.

Donc hier, j'ai pris mon bloc-notes. Et j'ai écrit au juge. Mais pas qu'à lui. J'ai écrit aussi à France 3-Nord Pas-de-Calais. Exactement la même lettre. Et c'est aux journalistes que je l'ai envoyée en premier : je veux rendre les choses publiques. Que tout le monde le sache. Il ne faut pas que ça reste uniquement dans le bureau du juge. Je veux que tout le monde soit au courant. Je suis trop énervé, j'ai explosé de colère quand j'ai appris que ma demande de remise en liberté avait été refusée. Alors je veux faire éclater une bombe. Avec mon stylo et mon bloc-notes, j'ai fait éclater la bombe... Je veux que ça explose, et si pour ça il faut un meurtre, alors va pour le meurtre. J'ai parlé d'une petite fille, parce qu'une petite fille ça fait plus crédible, parce que c'est plus fragile qu'un petit garçon : ça fait plus vrai, quoi.

J'en veux au juge de ne pas me croire, j'en veux à France 3 de m'avoir montré à la télévision pour une histoire pareille, je leur rends la chandelle, je leur renvoie la balle... Vous voulez du mensonge ? Je vais vous en donner, du mensonge ! Vous voulez de la Belgique ? Je vais vous en servir, des Belges ! Et j'ai écrit, comme ça, d'un trait, en colère, déterminé, désespéré.

J'ai mis la lettre pour France 3 dans une enveloppe, et j'y ai joint mon mandat de dépôt, comme ça les journalistes verront bien que ce n'est pas un canular. Après j'ai donné l'enveloppe à un détenu, sans lui dire ce qu'il y avait dedans évidemment. Au parloir, il l'a donnée à sa famille, et sa famille l'a postée. Parce que, si je l'envoie moi-même depuis la prison, le juge pourrait bien la lire et la faire bloquer. Or moi je veux que ça se sache.

La lettre pour le juge, je l'ai postée d'ici, par la voie régulière. Je pense qu'il la recevra une journée ou deux après France 3.

Maintenant ça y est : les deux lettres sont parties. Je me sens soulagé. Il faut vraiment que Badaoui craque. Et vite...

Il y a deux jours, un gardien m'a appelé : « Legrand, viens voir par ici ! C'est toi qui as violé des enfants ? » Je lui ai dit que je n'avais rien fait, que j'étais innocent. « Ah bon, t'es innocent ? Alors viens avec moi ! » Je l'ai suivi. Il commençait à toucher sa braguette. À tripoter le bouton de son pantalon. Il a ouvert la porte des douches. Il m'a enfermé dedans. Et je savais ce qui me guettait : les détenus étaient en train de remonter de la promenade. Depuis le temps qu'ils me répètent qu'ils finiront bien par m'avoir, je me suis tout de suite dit : « Le gardien va ouvrir la porte, il va tous les faire entrer... » J'avais les jambes qui tremblaient. Je n'arrivais pas à crier, ni à taper sur la porte. J'étais paralysé.

La porte s'est ouverte. Mais finalement, c'était un autre gardien. Il m'a dit : « T'inquiète pas, celui-là, il va être muté, il est complètement bourré. » Et j'ai regagné ma cellule. Je ne tenais plus debout.

Ils m'ont mis dans un film d'horreur. Alors, moi aussi, j'ai réagi comme dans un film d'horreur.

Coup de génie ou énorme gaffe, la révélation de Daniel Legrand allait, en quelques jours, faire basculer l'affaire d'Outreau dans une hystérie collective. Elle allait désormais échapper aux magistrats, aux avocats, aux enquêteurs, à la presse. À toute forme de rationalité. Elle allait cristalliser les peurs et les fantasmes. Réveiller les fantômes des victimes de Marc Dutroux. Devenir un mythe, dans la démesure et la folie.

Le lundi 7 janvier 2002, à 9 heures, la rédaction régionale de France 3 recevait la lettre du jeune Legrand dans laquelle il précisait avoir envoyé le même courrier à son juge d'instruction. Le journaliste chargé de l'enquête, Hervé Arduin, contactait immédiatement Fabrice Burgaud. Celui-ci n'avait pas encore reçu la lettre, le journaliste lui faisait donc part de ce nouvel élément. Puis il appelait les policiers du SRPJ de Lille et, au commissaire en charge du dossier, il dictait également, dans leur intégralité, ces quelques lignes explosives.

On lui demandait de ne pas divulguer la teneur de

ce courrier. Ce qu'il acceptait. Le temps de mener son enquête. Ce qu'il fit. Il chercha notamment à authentifier la lettre, en comparant la signature à celle du jeune Legrand, grâce aux quelques pièces du dossier qu'il avait pu se procurer. Visiblement, Daniel Legrand fils avait bien rédigé ce courrier.

Le scénario décrit par le jeune homme semblait à peine croyable. Cependant, à l'échelle des déclarations, terrifiantes, des enfants Delay depuis le début de l'affaire, le meurtre d'une enfant paraissait tristement crédible...

Le mardi 8 janvier, le juge Fabrice Burgaud recevait la lettre. Le lendemain, mercredi 9 janvier, il convoquait en urgence Daniel Legrand fils dans son bureau.

Daniel Legrand FILS
54e jour de détention,
palais de justice de Boulogne-sur-Mer
9 janvier 2002

Sur le trajet entre Loos et Boulogne, je ne réfléchis pas. Le juge veut me voir, il va me poser des questions sur cette lettre, c'est sûr. J'improviserai. En attendant, je regarde le paysage, comme chaque fois. Et comme chaque fois, ça m'apaise. Je me rends compte que ma colère est un peu retombée.

Qu'est-ce que je viens de faire ? Le meurtre d'une petite fille...

Je ne regrette pas, mais je suis un peu triste. Triste d'en être arrivé là. Je me dis : « Merde, j'ai fait ça, quand même... » Dans la vie d'avant, j'étais normal. Gentil. Et là, tous ces gens, Myriam Badaoui, David Delplanque, la demoiselle rousse, les détenus... ils sont en train de déteindre sur moi. Ça me fait peur : et si je devenais comme eux ? Tout ça, c'est en train de me rendre méchant. Méchant contre moi-même et méchant avec les autres.

Je regarde la route, Boulogne approche, et je me convaincs moi-même : Daniel, il ne faut pas reculer. Il faut foncer. Il faut dribbler, garder la balle au pied, aller chercher le but.

Derrière, c'est la liberté.

J'entre dans le bureau du juge. Il me dit : « Je viens de recevoir votre courrier. » Je m'installe. Il a vraiment changé d'attitude avec moi, prévenant, presque doux... « Tout se passe bien en prison, monsieur Legrand ? Vous mangez bien ? Pas de problèmes ? » Ça me rassure. Et puis on commence. Il me demande des précisions sur la lettre. Alors j'invente au fur et à mesure, un détail après l'autre, je dis ce qui me passe par la tête. Je rentre à fond dans le personnage.

Comment la petite fille était habillée ? Un pyjama bleu ciel et des baskets blanches. Le vieux monsieur qui l'accompagnait ? Un Belge... Forcément, avec la ferme en Belgique... Où est-ce qu'ils ont mis le cadavre ? Ils l'ont enveloppé dans un sac de couchage rouge. Quelles autres personnes étaient présentes ? Mince...

Cette fois non plus, je n'avais pas prévu qu'on me demanderait d'autres noms. Je lui explique qu'il y avait Thierry Delay, donc : c'est lui qui a tué l'enfant. Et puis François Mourmand. Ça m'est venu comme ça : lui, c'est le seul que je connais dans l'affaire, de nom en tout cas. Ma tante Laurence m'avait raconté que c'était un Gitan, c'était son voisin de palier, je l'avais d'ailleurs précisé pendant ma garde à vue. Puisqu'il a une réputation de voleur, je me dis qu'il pourrait bien être coupable. Donc j'annonce « François Mourmand », en espérant qu'il fait partie du réseau ; moi et mon père, nous n'avons rien à voir avec tout ça, mais les autres, je ne peux pas savoir. De toute façon, il faut bien donner un nom.

Et puis je précise que la petite fille était pleine de boue. D'où je sors ça ? Pleine de boue...

Mais pour le prénom de la petite, je n'ai rien dit. Je ne suis pas si fou que ça, quand même. Inventer un prénom...

Ce même 9 janvier, Myriam Badaoui était convoquée pour une confrontation avec... François Mourmand. À ce dernier, on ne parlait pas – encore – du meurtre de la fillette. Heureusement sans doute : l'homme était déjà à bout de nerfs à force de clamer, depuis des mois, qu'il était innocent des viols dont on l'accusait. Au terme de cette audition, le juge demandait à la mère des enfants Delay de rester dans son bureau. Il fallait savoir si elle confirmait les nouvelles révélations de Daniel Legrand fils.

Fabrice Burgaud était-il fatigué ? Eut-il un moment d'absence ? Était-il trop pressé ? Ou dépassé par les événements, leur complexité, leur enchaînement dramatique jusqu'à ce meurtre terrible ? Ou peut-être voulait-il y croire absolument ? Quoi qu'il en soit, il ne demandait pas à Myriam Badaoui si, à tout hasard, il n'y avait pas eu, un jour, un soir, un viol qui aurait plus particulièrement mal tourné que les autres ; si, d'aventure, on n'aurait pas eu, envers quelque enfant que ce soit, des gestes encore plus violents que d'habitude ; bref, si elle n'avait pas omis de lui parler d'un dérapage quelconque.

Non, Fabrice Burgaud ne posait à Myriam Badaoui aucune question de cette sorte, il ne tâtait pas le terrain, il n'y allait pas en douceur. Il fit beaucoup plus simple.

Il lui lut la lettre.

Direct. D'entrée de jeu. Sans sommation. Myriam Badaoui recevait donc, servies sur un plateau, toutes les informations dont le juge disposait et qui, désormais, étaient également en sa possession.

Elle eut un malaise.

Accompagnée de son avocate, elle sortit du bureau pour reprendre ses esprits. Elle pleurait. Sincèrement, semblait-il. Au point qu'un gendarme jugea nécessaire de lui donner un cachet afin de la calmer. Une demi-heure plus tard, sans avoir rien confié à son avocate interloquée, elle entrait à nouveau dans le bureau du juge.

Et elle confirmait tout.

À vrai dire, elle faisait bien davantage. Elle ne confirmait pas : elle explosait littéralement le scénario. Elle réécrivait les scènes – plutôt pauvres – de Daniel Legrand fils, elle les enrichissait de rebondissements, rajoutait des détails, du sang, de l'urine et des hurlements, partait dans un monologue terrifiant, qu'elle allait resservir plusieurs fois dans les semaines qui allaient suivre, toujours avec le même luxe de détails, la même ardeur, la même imagination pornographique. La même ivresse. Au point que, un jour, une avocate, qui n'était pas spécialement réputée pour sa sensiblerie et qui en avait entendu bien d'autres, finit par s'évanouir dans le cabinet du juge d'instruction.

Myriam Badaoui avait trop de talent.

« C'est la vérité ! », clamait-elle à Fabrice Burgaud.

La fillette « était brune avec la peau bronzée. Elle avait deux couettes. Elle était habillée d'un jogging bleu, un haut et un bas. Le bas était simple et le haut portait un lapin blanc. Elle portait des chaussures comme des tennis rouges avec des dessins fantaisie dessus. Elle n'avait pas de boucles d'oreilles. Elle a été dans la chambre de Vladimir jouer un moment. Après, le monsieur [belge] l'a appelée et elle est venue. Il lui a demandé de se déshabiller, mais elle ne voulait pas. Il l'a déshabillée avec mon mari. »

Suivait alors, sur vingt-six longues et insoutenables lignes de procès-verbal, la description des tortures et de la barbarie dont la petite avait fait l'objet pour satisfaire ces messieurs.

Myriam Badaoui affirmait n'avoir pas pu empêcher cette escalade de violence : elle-même était attachée, elle ne pouvait rien faire. Et quand elle protestait, son mari, Thierry Delay, la menaçait : « Toi, tu te tais ou sinon tes enfants y passent aussi ! » Le fils Legrand avait raison : François Mourmand était là également. Et quand on s'était aperçus que la petite (« Zaya » allait-elle se souvenir plus tard) ne bougeait plus à force de coups et de sévices : « Mon mari a pris un drap à fleurs de couleur rose avec des petites fleurs violettes dans l'armoire, et il a recouvert le corps de la petite fille. Il a enroulé le corps de la petite fille dans le drap. » Puis il était sorti avec le cadavre, accompagné de François Mourmand et du vieux Belge.

Pendant l'interrogatoire, personne ne semblait s'interroger sur le fait que des voisins auraient dû entendre les cris d'agonie de la fillette, s'ils avaient été tels que les décrivait avec acharnement Myriam Badaoui, ou bien les coups, ou bien les engueulades entre tous ces personnages qui, à un moment donné, avaient paniqué devant ce qui était en train de se passer et s'étaient insultés copieusement. Personne non plus ne relevait les différences de scénario entre les déclarations de cette femme et celles de Daniel Legrand : si on s'était amusé au jeu des erreurs, on en aurait trouvé non pas sept, mais trois fois plus. Vingt-cinq, très exactement.

Mais le meurtre de la petite fille, aussi atroce fût-il, représentait un « espoir » du point de vue de l'enquête policière : il est difficile, dans les affaires de mœurs, de prouver les agressions sexuelles et, il faut bien le dire, jusqu'ici, on n'avait pas trouvé grand-chose corroborant les dires de Myriam Badaoui et de ses enfants.

Mais là, soudain, on se trouvait face à un rebondissement qui, potentiellement, pouvait enfin apporter un élément probant : un cadavre.

Où était passé le corps de la fillette ?

Daniel Legrand avait précisé qu'il avait quitté le domicile des Delay avant que l'enfant ne soit emportée ailleurs. Myriam Badaoui avait vu son mari sortir, mais ignorait où il s'était débarrassé du corps.

Cependant, sans avoir l'air d'y toucher, elle donnait tout de même une piste : « Ils ont dû partir une heure et demie ou deux heures. Je voudrais aussi vous indiquer que mon mari a même un jardin qu'il cultivait pour une dame, et qu'en l'an 2000, lorsque l'appartement a été reloué à une autre personne, mon mari ne voulait pas redonner le jardin et voulait continuer à le conserver, quitte à payer la location [...]. Je ne me souviens plus du nom de la dame pour qui il cultivait le jardin, mais je pourrais retrouver la parcelle. À des moments, j'allais dans le jardin, mais il ne voulait pas et il criait après moi. »

Un cadavre. Et un jardin... à l'accès défendu.

À la réception de la lettre de Daniel Legrand, deux jours plus tôt, le journaliste de France 3 Nord-Pas-de-Calais, Hervé Arduin, avait choisi de ne pas diffuser l'information. Après enquête et apprenant d'une source « très proche du dossier » qu'une deuxième personne, Myriam Badaoui, confirmait le meurtre de la fillette, il jugeait alors que ce nouveau rebondissement pouvait être révélé.

À cette époque, personne dans la presse ne connaissait encore la personnalité de Myriam Badaoui : seul le juge d'instruction bénéficiait, dans le secret de son cabinet, de ses éclats accusatoires. Personne, non plus, ne connaissait la façon, parfois curieuse, dont Fabrice Burgaud menait les interrogatoires. Au SRPJ de Lille, le commissaire en charge de l'enquête avait d'ailleurs demandé au juge de disjoindre du dossier général cette affaire de meurtre d'enfant. Ainsi, par cette procédure administrative, ses officiers auraient pu, comme les y autorise la loi, entendre eux-mêmes Myriam Badaoui, qu'ils n'avaient jamais rencontrée car sa garde à vue avait été menée par leurs collègues du commissariat de Boulogne-sur-Mer. Or, les enquêteurs du SRPJ de Lille, qui depuis le 14 novembre 2001 et la deuxième vague d'arrestations procédaient désormais à l'ensemble des investigations, auraient bien tenté de cerner eux-mêmes la personnalité de cette accusatrice en chef qui semblait acquérir, au fil de l'instruction, de plus en plus d'importance et de crédit aux yeux du juge.

Mais le procureur de la République de Boulogne-sur-Mer, Gérald Lesigne, choisissait de confier ce meurtre au juge Burgaud. Qui, semblait-il, y tenait. Qui interrogeait donc lui-même Myriam Badaoui. Qui confirmait.

Mercredi 9 janvier, aux actualités de 19 heures, cinquante-huit heures après être arrivée à la rédaction de France 3, la lettre de Daniel Legrand était dévoilée au grand public.

L'ensemble des médias nationaux reprenaient immédiatement l'information.

Daniel Legrand FILS
54e jour de détention, Loos-lès-Lille
9 janvier 2002

Dans ma cellule, je regarde la télé. Et là, je tombe des nues.

Il y a un reportage sur France 3. Un journaliste parle de ma lettre, il la montre. Je suis content : ils l'ont donc reçue. Ça a marché ! Mais le journaliste ajoute : « Une deuxième personne a confirmé... »

Une deuxième personne... Je comprends tout de suite. Ça ne peut être qu'elle : Myriam Badaoui ! Myriam Badaoui a tout confirmé... Elle n'a pas défendu son mari... Il est accusé de meurtre, et non seulement elle laisse faire, mais en plus elle l'accuse... de quelque chose qui n'a pas eu lieu ! Comment c'est possible, comment peut-on faire ça ?

Je tombe des nues. Je me dis aussi que j'ai fait une énorme gaffe. J'essaie de me calmer. Je réfléchis. Elle a confirmé... Donc, au moins, il y a une chose que j'ai réussi à démontrer. Je le savais, mais maintenant j'ai une sacrée preuve : cette femme-là, c'est une menteuse...

Une menteuse et une malade...

Ils ne retrouveront jamais une fillette qui n'a pas existé. Donc ils verront bien qu'elle a menti. Et si elle a menti pour quelque chose d'aussi énorme, ils comprendront qu'elle a menti pour tout le reste.

« Une fillette aurait été assassinée... » On ne parle que de ça à la télé.

Daniel Legrand PÈRE
55e jour de détention, Amiens

10 janvier 2002

Chère Nadine,

J'espère que tu vas bien ainsi que toute la famille. J'ai reçu votre carte à midi. Mais quand je l'ai lue, j'ai versé des larmes en apprenant ça sur Daniel...

Hier soir, aux infos régionales, je l'ai vu, et il a commencé vraiment à révéler ce qui se passe [...].

Tu te rends compte, maman. Maintenant, il y aurait un meurtre...

J'arrête d'écrire. J'ai trop de peine, et les larmes m'empêchent de voir. Quand j'ai aperçu le gamin hier à la télé, je ne l'ai pas reconnu. Il était de dos, mais on voyait qu'il avait le crâne rasé. Le crâne rasé... Qu'est-ce qu'ils sont en train de faire de lui à Loos ? Daniel, il ne s'est jamais rasé le crâne comme ça, qu'est-ce que c'est que cette dégaine ? Et cette histoire de meurtre, d'où ça sort ? Depuis qu'il a fait ses faux aveux, je sais bien que le fils ne tourne pas rond. Mais là... Là, le doute commence à me prendre. Je suis trop épuisé, à retourner tout ça dans ma tête depuis des semaines, à taper dans la porte, à pleurer… Je n'avais jamais pleuré comme ça avant. Alors là, je ne tiendrai pas le coup. Je n'y arriverai pas. Pas si le gamin est…

Je m'en veux d'imaginer ça. Je m'en veux terriblement. Je relis la lettre de Nadine, elle me dit que dans tous les courriers de Daniel, il disait bien qu'il était innocent. Alors qu'est-ce qu'il se passe ? Non, ce n'est pas possible. Il y a forcément une explication. Soit il invente n'importe quoi. Soit il a suivi des copains, il a vu quelque chose et il n'a pas osé les dénoncer, parce qu'il est trop gentil. Je ne vois que ça.

Le moral n'a jamais été aussi bas.

Je reprends le stylo.

Mais enfin, Nadine, je ne peux pas lui en vouloir pour autant, ce qui est fait est fait, il reste toujours notre fils. Il ne faut pas qu'il se rende responsable de mon arrestation […].

Tu sais, c'est très dur d'être enfermé quand on sait qu'on n'a rien à se reprocher. Cela va faire deux mois. Je suis là, pour qui ? pourquoi ? j'essaie de garder le moral, mais c'est dur. Et avec le monde qui est impliqué là-dedans, l'enquête risque d'être longue. Et dire que je devrais être à mon travail comme tout le monde. Même pour toi, Maman, ça doit être dur sans salaire […].

Grégory m'écrit dans la lettre qu'il a fait pour moi une demande de liberté à Noël. C'est bien, mon petit gamin, tu as fait preuve d'un bon geste malgré ton âge. Mais ne t'inquiète pas : Papa est innocent.

Je vais vous laisser, j'espère avoir des nouvelles de Daniel en espérant qu'elles seront bonnes. Je t'embrasse, Nadine, ainsi que toute la famille. Gardez le moral.

À bientôt, ton mari et votre père qui pense à vous.

Je ferme l'enveloppe. Et je reste là, sans rien faire. Je suis choqué. Je n'arrive pas à penser, je ne sais plus ce qu'il faut croire. Je sais une chose : Daniel, c'est mon fils. Je l'aime.

Je l'aimerai toujours.

Le 9 janvier, Myriam Badaoui confirmait. À partir du 10 janvier, puis les quelques jours qui suivirent, tous les journalistes de France, de Navarre, de Belgique et d'ailleurs étaient sur le pont. Il faut dire que certains magistrats les avaient prévenus : « Vous verrez, c'est bien pire que ce que vous aviez imaginé... » Le bureau de maître Rangeon, l'avocat de Daniel Legrand fils, était assailli par des dizaines de reporters, et son standard téléphonique explosait. Le palais de justice de Boulogne-sur-Mer était pris en tenailles, les avocats étaient poursuivis dans la rue pour une déclaration, le juge Burgaud ne pouvait plus sortir de son cabinet ne fût-ce que pour déjeuner. On livrait des sandwichs, on accrochait des rideaux aux fenêtres de son bureau afin de le protéger des caméras et des appareils photo, car des journalistes s'étaient postés sur les remparts de Boulogne et avaient même réussi à filmer, au téléobjectif, Daniel Legrand fils en pleine conversation avec le juge. Des dizaines de badauds s'étaient également amassés devant le tribunal et hurlaient : « À mort, les pédophiles ! »

La curée.

Le 10 janvier, Fabrice Burgaud convoquait Thierry Delay afin de l'interroger sur le meurtre de la fillette.

Depuis le début de l'affaire, Thierry Delay niait en bloc et jurait n'avoir jamais violé ses enfants. Sa femme était prolixe ; lui c'était tout le contraire : il fallait lui arracher les mots de la bouche. Monolithique, il se contentait de dire : « Non. »

Au mois de novembre, trois jours après l'arrestation des Legrand et des autres « notables », il s'était tout de même risqué à écrire une lettre au juge d'instruction : « Je sais que des gens ont été arrêtés, accusés par ma femme. Je peux vous affirmer qu'ils sont innocents. » Au vu de la parcimonie de ses déclarations jusqu'alors, cette lettre valait son pesant d'or. Mais, étonnamment, Fabrice Burgaud n'avait pas jugé utile de convoquer Thierry Delay et de lui demander des explications sur la teneur de ce courrier.

Pour la lettre de Daniel Legrand, en revanche, il fallait éclaircir l'affaire.

Thierry Delay, comme à son habitude, s'avérait peu loquace. Sa réponse était simple : « Tout est faux. » Le juge lui parlait de son jardin, l'inculpé lui indiquait sans problème où celui-ci se trouvait.

« Question : Le cadavre n'a-t-il pas été enterré dans le jardin ?

Réponse : Il n'y a pas de cadavre. »

Le juge décidait néanmoins de faire fouiller ledit jardin. Le jour même.

Ce jardin ouvrier était situé non loin de l'immeuble où habitaient les Delay. Hélicoptère de la gendarmerie, périmètre bouclé, injonction à tout le voisinage de fermer les volets et bâche installée au-dessus du jardin (au cas où des choses terrifiantes seraient déterrées), pompiers, cordon de journalistes, de caméramans, de photographes... et tracto-pelle. Les choses étaient faites en grand, relayées par des éditions spéciales dans tous les médias...

À 15 h 25, premier coup de pelle. Immédiatement interrompu par un appel téléphonique du juge Burgaud aux enquêteurs qui supervisaient les fouilles. Il venait d'apprendre un fait nouveau, incroyable : les enfants Delay savaient où se trouvait le corps...

Car les enfants aussi écoutent les informations. Ce jour-là, en tout cas, Nolan, le troisième fils Delay, avait bondi en entendant sur Radio 6 tous les détails de l'histoire du meurtre de la petite fille. Surexcité, il était immédiatement allé voir sa « tata », autrement dit l'assistante maternelle chez qui il était placé : « Je sais ! Ça s'est passé à la maison. Il y avait tout le monde et maman disait que c'était la fête. Il y en a qui disent que c'est mon père qui a tué la petite fille. Mais c'est le père de Daniel Legrand ! Il l'a tuée avec le bâton de mon père. Elle a été tuée parce qu'elle se débattait. Il y avait plein de sang partout. C'était une petite fille de quatre ans. J'ai des images dans ma tête... »

Puis tout d'un coup, il n'y avait plus seulement une petite fille : « Je me souviens d'un petit garçon de un an qui est mort en Belgique, quelqu'un a appelé le SMUR et la police sur un portable. »

Curieux : Myriam Badaoui avait pourtant précisé qu'aucun de ses enfants n'était présent le jour de ce meurtre. Ils étaient tous chez la voisine.

Dans le doute, on téléphonait tout de même à Vladimir. Savait-il quelque chose ?

« Bien sûr ! », répondait-il du tac au tac. Même si lui se rappelait plutôt un bébé de un an... « Il était enfermé dans un placard chez moi. Le placard était dans la chambre de ma mère. Dans le placard, il criait. Un soir, ils ont mis le bébé dans un trou dans le jardin. Le bébé était dans un sac-poubelle noir. C'était un grand trou au fond du jardin, dans le coin, là où ils ont mis toutes les saletés dessus. Ils ont mis le bébé dans un trou. Ils ont mis un coup de pelle dessus et ils ont mis de la terre par-dessus. »

De toute évidence, Nolan et Vladimir savaient des choses. Le juge Burgaud décidait donc de les faire venir dans le jardin ouvrier de leur père. À 17 h 40, Vladimir arrivait. Entre tracto-pelle et policiers, il pointait immédiatement du doigt le lieu où avait été enterré le bébé assassiné. À 17 h 50, Nolan entrait en scène à son tour. Il emmenait les policiers... à l'exact opposé de l'endroit désigné par son frère : pour le bébé, c'est ici. Il guidait ensuite les enquêteurs dans le jardin d'à côté : pour la petite fille, c'est là.

Sûr.

Certains passants outreaulois affichaient leur scepticisme : enterrer un cadavre, là, juste sous les nombreuses fenêtres de l'immeuble jouxtant le jardin, et ce sans attirer l'attention de personne ? On fouillait néanmoins aux endroits indiqués par les enfants. Et comme on ne trouvait rien, on retournait le jardin entier. Pendant deux jours. Le 10 et le 11 janvier. Le jour et la nuit. Sur plus de un mètre de profondeur. Sous les flashs des appareils photo et le feu des projecteurs installés pour pouvoir continuer les excavations après le coucher du soleil : on était au mois de janvier, les journées étaient courtes. Et il faisait froid. Un policier, maugréant, confia à un journaliste : « Si le juge continue comme ça, il va nous faire fouiller jusqu'au métro de Lille... »

Aucun corps n'était retrouvé.

Dans le même temps, une recherche était lancée aux bureaux Interpol de Bruxelles, Londres, La Haye, Luxembourg, Berne et Wiesbaden : on envoyait la description de la fillette donnée par Daniel Legrand et Myriam Badaoui, on indiquait qu'elle aurait été tuée entre septembre et décembre 1999.

Aucune enfant lui ressemblant n'était signalée disparue.

Daniel Legrand FILS
60e jour de détention, Loos-lès-Lille
15 janvier 2002

Je regarde la télé : les fouilles, les déclarations du procureur... Il précise qu'on n'a encore rien trouvé mais que, pour une affaire de cette ampleur-là, il faut faire les choses correctement.

Je vois un jardin. Complètement explosé. Pourquoi ils sont allés chercher là-bas, d'où ça sort, cette idée ?

Je ne comprends absolument rien, alors j'arrête de me poser des questions, je me contente de regarder ce que j'ai déclenché, halluciné : c'est complètement fou !

Et puis j'entends un journaliste qui explique : « Les fouilles sont désormais arrêtées. »

C'est vraiment n'importe quoi. C'est bien fait pour eux. C'est ce que je me dis tout haut : « Bien fait pour vous... »

Je parle tout seul maintenant. De toute façon, ce n'est pas grave, ça n'embête plus personne : je suis à l'isolement.

Avec mes faux aveux et le meurtre de la fillette, les détenus devenaient de plus en plus furieux contre moi, ils me regardaient de plus en plus de travers. Pour ma sécurité et pour ne pas causer de problèmes dans ma section, on m'a donc changé de quartier. Les gardiens m'ont mis à l'isolement.

Dans la cellule, le carreau est à moitié cassé, il y a un courant d'air qui vient du dehors. Un lit en bois, un petit mur qui cache les toilettes, la télé. Et puis c'est tout. Je suis dans une grotte. Et je me parle à moi-même.

Maman, papa, désolé pour vous...

Parce qu'ils doivent savoir pour le meurtre, ils ont dû être malheureux d'apprendre tout ça. Je leur expliquerai plus tard. Mais plus les jours passent, c'est bizarre, moins je pense à eux. Parce que je ne les vois pas, depuis tellement longtemps. C'est comme si je les avais perdus définitivement. Comme si je n'avais plus de famille et que je n'avais plus que moi.

Ou bien que j'étais devenu quelqu'un d'autre.

Alors, de temps en temps, je fais un effort, je me rappelle leurs visages. C'est là que je me souviens : je les aime. Je ne peux pas expliquer à quel point je les aime. Et je ne veux pas qu'ils s'inquiètent pour moi. Surtout pas. Ils ont trop souffert, déjà. Et puis, quand j'y pense, je me dis que si je n'avais pas fait ces chèques, à Ambleteuse, les policiers n'auraient jamais trouvé mon nom, ni celui de mon père. Alors je m'en veux...

Donc jamais je ne les inquiéterai pour quoi que ce soit, mes parents. Je ne leur dirai jamais tout ça : la solitude, le courant d'air qui passe par la vitre, la grotte où on se gèle. Le doigt d'honneur.

Il y a quelques jours, le juge voulait me voir, et quand je suis finalement sorti du tribunal, il y avait une foule de curieux amassée derrière des barrières. Ils me regardaient avec haine, j'avais l'impression d'être une bête sauvage dans un zoo. Et un homme m'a fait ce doigt d'honneur, violent, hargneux. Je n'oublierai jamais ses yeux à ce moment-là : je n'avais jamais eu de regard comme ça sur moi, avant.

Je n'ai connu que votre regard. Mon père, ma mère, mes grandes sœurs, mes petits frères... Un regard avec de l'amour dedans. Je me recroqueville pour avoir un peu plus chaud. Je suis une bête dans une grotte. Et il n'y a rien d'autre à faire que pleurer sur le lit.

Daniel Legrand FILS
66e jour de détention, Loos-lès-Lille
21 janvier 2002

21 janvier 2002

Un grand bonjour à ma famille,

J'espère que vous allez bien, car moi, ça va, malgré toutes ces épreuves difficiles à supporter. J'ai changé de quartier, ils m'ont mis à l'isolement, en sécurité, car ça commençait à devenir chaud pour moi. Ça va très bien, en plus, je suis tout seul dans la cellule. Mais à part ça, je garde le moral, et je ne me laisse pas du tout aller, contrairement à ce que vous pourriez imaginer [...].

Donc ça va, à part que l'après-midi, c'est un petit peu long. Mais bon, je regarde la télé. Je pense beaucoup à vous chaque jour que Dieu fait, ainsi qu'à Papa, le pauvre. Maman, sinon, prends bien soin de toi et de ton pied, et ne t'inquiète surtout pas, je vais très bien, je suis loin de me laisser abattre, crois-moi. Je vis très bien la détention, même si je préférerais mille fois être à vos côtés. Aussi, je regarde très souvent la photo de mes neveux qui sont très beaux et qui me manquent beaucoup. Peggy, félicite Bruno de ma part concernant le code de la route qu'il a obtenu, bien vu ! (là, vous devez rigoler !) [...].

Le football me manque aussi, mais bon, il y a souvent des matchs à la télé. [...] Ça fait plus de deux mois que je n'ai pas touché le ballon, ça commence à faire beaucoup. Quand je sortirai, j'irai refaire du cross, pour me refaire une santé. Aussi, à force de rester enfermé, on perd un peu la notion du temps et de l'extérieur [...].

Sinon, rassurez-vous et rassurez tout le monde, car je vais très bien, croyez-moi.

Daniel qui pense très fort à vous chaque jour qui passe.
Écrivez-moi le plus souvent possible !

Depuis plus de deux mois, Nadine Legrand attendait les autorisations de visite, pour son mari comme pour son fils, mais le facteur ne lui apportait toujours pas les documents espérés.

Un matin, elle se présentait avec Peggy à la prison de Loos-lès-Lille pour déposer à l'accueil des vêtements de rechange pour le jeune Daniel. Les deux femmes en avaient apporté tellement que le gardien leur demandait d'en ramener chez elles : ici, on ne pouvait pas tout prendre. Pendant qu'elles triaient, il leur demandait : « Qui est Legrand Peggy ? » La sœur de Daniel se présentait, le gardien s'étonnait : « Pourquoi vous n'allez pas vous-même porter les vêtements à votre frère ? » Les deux femmes expliquaient qu'elles n'avaient pas reçu de permis de visite, l'homme leur assurait qu'il en avait bien un à l'attention de « Legrand Peggy ». On prenait donc rendez-vous pour un parloir le lendemain.

Personne n'avait songé à indiquer aux Legrand qu'une autorisation de ce type ne se recevait pas par la poste et qu'il suffisait de téléphoner à la prison pour savoir si on l'avait obtenue...

Nadine et Peggy revenaient comme convenu, persuadées désormais qu'elles pourraient rendre visite toutes les deux à Daniel. Le gardien laissait passer la sœur... mais pas la mère : il n'avait de consignes que pour la première. Nadine éclata en sanglots : son fils était là, si proche, et elle ne pouvait pas le voir...

Peggy entra au parloir. Et retint son émotion : l'endroit était sordide. Elle découvrit Daniel, assis là, devant une petite table. Il n'avait pas été prévenu de la venue de sa sœur, il pensait que son avocat voulait le voir. Il semblait accablé, nerveux, la tête accrochée entre ses mains, le regard baissé. Elle frissonna : elle ne l'avait jamais vu ainsi. Elle lui toucha le bras. Il leva la tête...

Après la surprise, les rires, les pleurs au bord des cils et des baisers, Daniel était rapidement parti dans un monologue qu'elle n'avait pas voulu interrompre, car elle voyait bien que son petit frère en avait gros sur le cœur et qu'il avait terriblement besoin de parler.

« Peggy, j'espère que vous n'avez pas cru tout ce que vous avez lu dans les journaux, hein ? Tu le diras bien à maman, à pa, aux copains du foot : je suis innocent, moi ! Vous n'avez pas cru à tout ça, quand même ? Hein, tu n'oublieras pas d'aller le dire aux copains non plus ? Tu promets ? Peggy, tu te rends compte, je ne la connais pas, cette femme qui nous accuse. Tu verrais tout ce qu'elle raconte sur nous ! Tu la verrais ! Comment elle me regarde, comment elle raconte tous ces mensonges comme si c'était vrai. Tu peux pas savoir, Peggy, tu peux pas comprendre ! Mais pourquoi elle raconte tout ça ? Peggy, j'ai eu beau le dire au juge, il ne m'écoutait pas, rien ! Dans quinze ans, pa et moi, on est encore là tous les deux !... »

La grande sœur tentait de calmer son frère, de lui assurer qu'on n'avait jamais cru à toutes ces histoires : les accusations, les faux aveux, le meurtre de la fillette... mais qu'il fallait absolument qu'il change d'attitude : « Tu ne peux pas continuer comme ça, Daniel ! Il faut que tu dises que ce n'est pas vrai ! Sinon, tu vas t'enfoncer encore plus et plus personne ne va te croire après... »

Mais Daniel était aussi désespéré que sûr de lui : « Je n'ai pas le choix, Peggy ! Il faut bien inventer n'importe quoi, je t'assure. On est obligés. Tu la verrais, tu ne la connais pas du tout. On ne peut pas comprendre si on ne l'a pas vécu soi-même. Et le juge, tu ne l'as pas vu non plus : il n'écoute qu'elle, il est calme, il avale tout, il ne dit rien, on n'existe pas pour lui. Non, Peggy : laisse encore un moment passer, crois-moi. Il n'y a que comme ça que tout le monde va s'intéresser à l'affaire. C'est comme ça que ça va finir par éclater au grand jour. J'en suis sûr, tu vas voir. Fais-moi confiance ! »

Daniel était si insistant qu'il réussissait à convaincre sa sœur : il fallait attendre. Il fallait les laisser s'apercevoir que le meurtre de la fillette ne tenait pas debout. Alors, le doute commencerait à germer. Et si Myriam Badaoui avait menti pour ce meurtre, alors quelqu'un finirait peut-être par mettre en doute sa parole concernant tout le reste...

Peggy prévenait son frère : « D'accord, je te laisse encore un petit peu de temps, Daniel. Encore un tout petit peu. Mais écoute-moi bien : si tu ne dis pas que tout ça est faux, c'est moi qui m'en chargerai... »

Daniel promettait.

Il était ensuite intarissable sur leur père ; s'inquiétait, énormément, de son état de santé, de son moral : il avait peur, tous les jours disait-il, qu'il se suicide. Il savait que son père était fort, mais il savait aussi qu'il était fier et qu'il devait mal supporter les accusations dont il faisait l'objet. Il posait également mille questions sur sa mère, ses frères, sa sœur Daisy, ses neveux et nièces, prenait des nouvelles des uns et des autres. Et semblait, petit à petit, revenir à la vie.

Pendant ce temps-là, à quelques mètres seulement, Nadine attendait.

Au retour de Peggy, elle lui fit raconter, une fois, deux fois, trois fois, chaque parole de son fils. Sa fille lui décrivait également comment, soudain, le regard du gamin s'était allumé et comment, d'un coup, l'angoisse qui planait dans ses yeux s'était évanouie pour laisser place à cet enthousiasme qu'on lui connaissait si bien. On venait de passer en 2002, alors Daniel avait demandé : « Peggy, tu as des euros ? Fais-moi voir comment c'est ! »

Au travers de ses larmes, Nadine souriait. Son fils était toujours là...

Daniel Legrand PÈRE
62e jour de détention,
palais de justice de Boulogne-sur-Mer
17 janvier 2002

Je pense à mon fils.

Je suis à Boulogne, il est moins de 9 heures. J'attends dans un couloir du tribunal. J'aimerais bien fumer mais, avec les menottes, ce n'est pas facile.

Je pense à lui parce que hier, mon avocat est venu me voir à la prison. Il m'a dit : « Demain, vous êtes convoqué chez le juge. » Il m'a expliqué que je serais confronté à quelqu'un, mais il ne savait pas à qui. Peut-être à Daniel. Ça m'a fait drôle : être confronté avec mon gamin... Je me dis que ça serait une bonne occasion de le revoir enfin. J'essaie de ne pas trop y croire, sinon je vais être déçu. Si seulement je pouvais le voir, je saurais. Tout de suite. Je saurais s'il a complètement disjoncté avec ces aveux et ce meurtre. Parce que mon gamin ne me mentirait pas à moi. Si je me rends compte qu'il délire et qu'il raconte n'importe quoi, je l'aiderai, je lui ferai comprendre que ce n'est pas une solution. Mais si je vois qu'il a quelque chose à se reprocher... eh bien je lui ferai comprendre que c'est toujours mon gosse. Hier, maître Duport avait l'air inquiet : « Votre fils a fini par avouer. Alors si demain vous êtes confronté avec eux et si vous changez votre version comme lui, je vous préviens : il faudra prendre un autre avocat. »

Quoi ?! Ça fait deux mois que je lui crie mon innocence à lui aussi, et on en est encore là ? Je n'ai pas cherché mes mots, je lui ai répondu direct : « Écoutez, maître, c'est pas dur : moi, je vous dis que je suis innocent. Maintenant, si vous ne me croyez pas, on arrête tout, et tout de suite ! » J'ai pris ma chaise, je me suis levé et sans me retourner, je suis remonté dans ma cellule. Carrément. Est-ce que quelqu'un va finir par me croire, dans cette histoire de fous ?

Et surtout, bon sang : si j'étais coupable de quelque chose, est-ce que je laisserais mon gosse comme ça, impliqué tout seul dans cette affaire, à me cacher derrière lui sans rien dire ? Quel père serait capable de ça ?

Donc, me voilà au tribunal, à poireauter sur ma chaise. Comme d'habitude. Ça fait deux mois que je poireaute, de toute façon. Je ne suis plus à une demi-heure près.

Dans la salle d'attente, il y a deux autres personnes menottées. Un homme et une femme. Un grand maigre et une grosse, plus âgée. Celle-là me fixe du regard. Qu'est-ce qu'elle me veut ? Remarque, je m'en fiche : c'est son problème. Moi, j'ai envie de fumer. Je demande l'autorisation à l'un des deux gendarmes qui m'accompagnent. Il m'enlève les menottes, le temps que je fasse ma roulée. Je prends mon temps : de toute manière, j'attends que le juge me reçoive, alors je ne suis pas pressé. Depuis la salle d'attente, je vois son bureau, ils sont en train d'y installer des tas de chaises et je me demande ce qui se prépare.

La femme se tourne vers un flic de son escorte : elle lui demande à quitter la pièce. Elle se lève et elle s'en va avec lui.

Après trois quarts d'heure d'attente, la porte du bureau du juge s'ouvre enfin. J'entre. Pas de trace du gamin. Je suis le premier. Toutes les chaises ont été placées devant le bureau, sur trois ou quatre rangées. On me dit d'aller m'asseoir à la première, tout au bout à droite. Les gendarmes se mettent à côté de moi. Je dis bonjour au juge. Il ne me répond pas, je commence à avoir l'habitude... Puis des avocats, et encore d'autres gendarmes arrivent, accompagnés de deux personnes menottées : la femme et le type de tout à l'heure, qui attendaient avec moi dans le couloir. Ils s'installent sur la première rangée également. Tout de suite après, une jeune rousse entre. Elle aussi : première rangée. Elle n'a pas de menottes. Je me souviens, je l'ai vue en arrivant, elle était dans une pièce à part, je suis passé devant. Alors je comprends : tous ces gens-là, ce sont ceux qui m'accusent...

Enfin ! Enfin, je vais être confronté à ces menteurs ! Ça fait deux mois que j'attends ça, ça fait deux mois que je le demande. Quelqu'un ferme la porte du bureau. Donc, mon fils, lui, ne sera pas là.

Et tout d'un coup, je me sens puissant. Parce que ça y est : je vais pouvoir me battre.

Le juge commence avec la femme la plus âgée : Myriam Badaoui. Elle fait la liste de tous les gamins que j'aurais violés, il y en a un nombre... c'est incroyable de toute façon ! Où elle m'a connu ? Elle dit que c'était au sex-shop de Boulogne-sur-Mer, il paraît que c'est là que je travaillais ! L'après-midi, en plus... Elle doit le rêver de nuit pour le raconter de jour, c'est n'importe quoi. Le juge ne va quand même pas gober ça ? Ils ont fait des enquêtes chez Delattre ou quoi ? Elle est sûre d'elle, elle a un de ces aplombs ! Elle m'accuse de tas de trucs, je n'arrive même pas à retenir tellement c'est hideux, la Belgique, un réseau, un soir de Noël où je serais venu chez elle pour la première fois, « Ouais, t'y étais, t'as violé mes gosses ! », des cassettes et des tas d'objets dégueulasses que j'aurais brûlés dans sa baignoire pour pas que les policiers retrouvent de preuves... enfin, la totale. C'est pire que ce que j'imaginais, il faut vraiment l'entendre pour le croire, et moi, j'ai du mal à garder mon calme, j'ai envie de bondir, de hurler. Mais le juge interroge maintenant la rousse : Aurélie Grenon. Ce n'est pas compliqué : en gros, elle dit pareil. Mais on ne s'habitue pas quand même. Quand je pense que c'est encore une gamine, c'est à peine croyable. Je dis au juge que c'est un coup monté entre elles, que moi je ne les ai jamais vues de ma vie, ces femmes-là. Mais il insiste : pourquoi donc elles m'accuseraient sans raison ? Qu'est-ce que j'en sais, moi... Elles veulent peut-être me faire porter le chapeau à la place d'un autre ? C'est là que le juge se tourne vers le grand maigre. Questions. Rebelote : réponses copiées sur la voisine... Je n'en peux plus.

Je me lève de ma chaise, je bous, je vais le démolir celui-là, je vois bien qu'il ment, qu'il suit Badaoui et la rousse, mot pour mot, c'est insupportable. Qu'est-ce que c'est que cette histoire ? Pourquoi on me confronte à ces trois-là en même temps ? Ce n'est tout de même pas compliqué de voir qu'ils s'alignent tous sur la grosse et que c'est elle, la chef ! Je suis en rage, les flics veulent me retenir, mais ils n'y arrivent pas, et s'il n'y avait pas tous ces gens entre lui et moi, ce type-là se retrouverait par terre... Le juge me dit : « Attention je vais vous faire sortir, monsieur Legrand ! » Mais moi je m'en fous. Parce que je n'ai plus rien à perdre. Parce que je ne peux plus tenir, à entendre des horreurs comme ça.

Je ne peux plus tenir.

Maître Duport essaie de me calmer, les flics me collent sur ma chaise. C'est là que, soudain, Badaoui dit calmement : « Je peux vous dire quelque chose, monsieur le juge ? » Il la regarde, aimable avec elle : « Oui, madame Badaoui ? » Et elle annonce : « Daniel Legrand père, il a un doigt plus court que l'autre à la main droite... »

Et là, d'un coup, je revois la scène : quand j'attendais dans le couloir, elle était en face de moi, elle me regardait. Et j'ai fait ma roulée de tabac, tranquillement, sans me douter de rien ! Elle a bien eu le temps de voir mon doigt, parce que ça se voit au premier coup d'œil si on me regarde comme ça. Mais moi, je ne savais pas que c'était elle, Myriam Badaoui : on m'a montré des dizaines de photos pendant la garde à vue, elle était dans le tas, mais dans le couloir tout à l'heure je ne me suis pas souvenu de son visage... vu que je ne la connais même pas !

Et voilà la rousse qui ajoute : « Je confirme les déclarations de madame Badaoui. C'est le troisième doigt de la main droite. »

Le juge me regarde : « Comment expliquez-vous ça, monsieur Legrand ? Vous avez deux gendarmes qui vous séparent d'elles, elles ne peuvent pas voir vos mains mais elles savent que vous avez le doigt amputé... » Je lui explique que, tout à l'heure dans le couloir, cette femme a dû me voir faire ma roulée, que, après, elle a demandé à quitter la pièce, et que c'était peut-être pour prévenir sa copine qui était dans une salle à part, je ne sais pas moi, aller lui faire un petit signe en lui montrant le majeur de sa main droite ? Le juge n'a pas l'air de me croire, c'est comme ça depuis le début de toute façon. Quand même, il demande, pour le doigt : « Mais ça, madame Badaoui, vous ne me l'aviez pas dit dans votre première déposition ? » Alors elle se met à pleurer : « Mais vous ne me l'aviez pas demandé, monsieur le juge ! » Je lance : « Elle ne pouvait pas vous le dire, pour la bonne raison qu'aujourd'hui c'est la première fois qu'elle me voit ! »

Ça pleure, ça renifle, maître Duport en profite. Rapport à mon kyste à l'oreille, il demande à Aurélie Grenon si elle n'avait pas remarqué une anomalie sur mon visage, quand elle me fréquentait. Elle répond qu'elle ne faisait pas attention à ma figure... et que de toute façon il faisait sombre dans la pièce. Il pose ensuite la même question à Delplanque, qui dit : « Il avait la même tête que celle qu'il a aujourd'hui. » C'est au tour de Badaoui. Qui, comme par hasard, ne se souvient pas de quoi que ce soit sur mon visage. Mais elle n'est pas folle : mon avocat vient de poser trois fois la même question, elle doit bien se douter qu'il y a quelque chose là-dessous. Alors elle dit que, pour le visage, elle n'a pas de souvenir particulier, mais elle rajoute immédiatement, pour bien noyer le poisson, que pour la phalange amputée, ça, elle s'en souvient fort bien : « Quand il venait chez moi, il se masturbait de la main droite, et là, je l'ai bien vu, son doigt... »

Tout ça, c'est à vomir, j'ai la tête en feu, je n'en peux plus à force de me contenir. C'est là qu'on m'annonce que j'aurais aussi participé au meurtre de la fillette : Badaoui parle de cette « Zaya » à qui j'aurais fait du mal. Qu'est-ce que vous voulez y faire ? Qu'est-ce que je peux répondre ? Je leur dis : « De toute façon, je suis mis en cause partout. Alors on n'est plus à ça près... »

Ma parole à moi, c'est toujours du vent. Il n'y a que Myriam Badaoui qui est crue.

Quand je sors de ce bureau, je suis démoli. Parce que je repars en prison, parce que l'autre abruti ne m'a pas écouté une seconde. Mais je ne baisse pas les yeux pour autant. Et je me sens toujours aussi puissant que quand je suis entré. Parce que tous ces gens-là sont des menteurs : leur parole ne vaut rien. Les flics m'engueulent, ils me disent que je n'aurais pas dû m'énerver contre Delplanque. Je m'en fous. Moi, je dis la vérité.

Alors je suis fort.

Daniel Legrand père, Daniel Legrand fils, mais aussi Thierry Dausque, Karine Duchochois, Roselyne Godard, François Mourmand, Sandrine Lavier, Franck Lavier, Dominique Wiel, Alain Marécaux, Odile Marécaux, Pierre Martel, David Brunet, Christian Godard. L'ensemble des quatorze personnes mises en examen clamant leur innocence dans l'affaire d'Outreau ont toutes été soumises au même type de confrontation : des confrontations collectives, pendant lesquelles le juge Burgaud appliquait systématiquement la même méthode.

Rappeler dans un premier temps à Myriam Badaoui ce qu'elle avait antérieurement déclaré. Puis lui faire confirmer ces accusations, ce qu'elle s'empressait de faire, sans difficulté en général ; soit qu'elle ait vu effectivement ces personnes violer les enfants ; soit qu'en réécoutant ses accusations relues par le juge, sa mémoire s'en trouve toute rafraîchie... Puis demander à la personne mise en cause ce qu'elle avait à répondre. Celle-ci niait sans autre argument, malheureusement, que sa totale aversion face aux faits de viol dont on l'accusait. À la suite de quoi, dans un second temps, Fabrice Burgaud interrogeait Aurélie Grenon puis, enfin, David Delplanque. Lesquels alignaient leurs déclarations sur celles de Myriam Badaoui. De manière de moins en moins précise, de plus en plus floue. David Delplanque étant le maillon faible, le moins virulent, le plus influençable, changeant parfois d'avis au cours de la même confrontation, « bousculé » par Myriam Badaoui.

Autant dire que Daniel Legrand père, Daniel Legrand fils, Thierry Dausque, Karine Duchochois, Roselyne Godard, etc., se retrouvaient chacun devant un front accusatoire, un triumvirat Badaoui-Grenon-Delplanque face auquel ils étaient totalement démunis...

Le juge Burgaud concluait en général ces entretiens par une question qui achevait de clouer le mis en examen sur place : « Comment expliquez-vous que trois personnes qui n'ont pu se concerter, puisqu'elles étaient détenues dans trois maisons d'arrêt différentes, aient pu faire des déclarations aussi précises et convergentes ? »

Question à laquelle aucun des mis en cause ne trouvait autre chose à répondre qu'un « Je ne sais pas... » accablé.

Ils ignoraient que certains de leurs accusateurs, même incarcérés dans des prisons différentes, avaient très bien pu être en mesure de consulter les pièces du dossier, et donc, de s'informer sur les déclarations des uns et des autres. Quant à la « convergence » de ces dernières, elle s'expliquait par le fait même que les confrontations étaient collectives, permettant donc à Aurélie Grenon et David Delplanque de prendre connaissance des affirmations de Myriam Badaoui, avant de faire « converger » les leurs.

Plusieurs avocats des différents mis en examen s'insurgèrent contre cette méthode et demandèrent à de nombreuses reprises des confrontations séparées, afin d'éviter les effets pervers évidents que ne manquait pas de provoquer ce système collectif.

Leurs demandes étaient toutes rejetées par le juge Fabrice Burgaud.

Celui-ci allait plus tard justifier ce choix en expliquant que ces confrontations groupées avaient l'avantage de créer une certaine « interactivité permettant aux uns et aux autres de contester tel ou tel élément avancé[1] ».

Hélas, la folle interactivité qui avait régné pendant la confrontation de Daniel Legrand père avec ses accusateurs n'avait pas permis à la vérité de se manifester. On commençait même à s'embrouiller quelque peu : l'implication de Daniel Legrand père dans le meurtre de la fillette n'avait jamais été évoquée par Myriam Badaoui. Mais son fils Nolan avait cependant affirmé que c'était Daniel Legrand père qui avait tué la petite fille d'un coup de bâton. En avait-on parlé à la télévision ? Quoi qu'il en soit, Myriam Badaoui en

1. Devant la commission d'enquête parlementaire chargée de rechercher les causes des dysfonctionnements de la justice dans l'affaire d'Outreau, c'est ainsi que Fabrice Burgaud a justifié son choix, « après avoir longuement hésité », de faire des confrontations collectives.

était certaine désormais : pour le meurtre, Daniel Legrand père y était aussi. Elle affirmait par ailleurs que l'homme était venu la première fois chez elle le 24 décembre 1996 : « Je m'en souviens car c'était Noël, et qu'il a offert une cassette pornographique à Charly. » Jusqu'à maintenant, pour ce fameux cadeau, on avait plutôt évoqué Thierry Delay...

Il faut dire que, avec toutes ces personnes incarcérées et tous ces viols dont elle les accusait, Myriam Badaoui s'emmêlait souvent les crayons. Et lorsqu'elle s'en rendait compte, elle s'excusait benoîtement : « Désolée, monsieur le juge, je me suis confondue ! »

Myriam Badaoui confondait, certes, mais elle avait toujours réponse à tout. Elle accusait notamment Daniel Legrand père d'avoir pris des photographies pornographiques de ses enfants. Et ça, elle n'en démordait pas. Pendant leur confrontation, Daniel Legrand père rétorquait : « Madame doit me confondre avec quelqu'un d'autre. Elle cherche peut-être à protéger quelqu'un. Je vois ça comme ça. J'espère simplement que, si des photos ont été prises, je suis dessus. » Sans réfléchir une demi-seconde, Myriam Badaoui répliquait du tac au tac, les yeux plantés dans ceux du juge : « Il était souvent derrière l'appareil et il disait qu'il ne fallait jamais prendre les têtes des personnes. Il n'est pas bête quand même ! »

Ou les joies de l'interactivité.

Daniel Legrand PÈRE
65e jour de détention, Amiens
20 janvier 2002

20 janvier 2002

Chère Nadine,

J'espère que tu vas bien ainsi que toute la famille. Quant à moi, je n'ai pas beaucoup le moral. Tu sais, jeudi 17, j'ai été confronté au tribunal avec trois personnes. Si tu savais de quoi elles m'accusent, c'est honteux. J'ai été confronté à 9 h 30, je suis revenu à la prison vers 15 heures, je n'ai même pas pu manger, je me suis contenté de pleurer, car là, ça fait de trop. Comment peut-on m'en vouloir avec autant de haine alors que je ne les connais même pas ?

[...] Tu te rends compte, ils n'ont même pas été capables de décrire au juge avec quelle voiture je me rendais chez eux. C'est normal, ils savent bien qu'en dévoilant la marque de la voiture la police va découvrir le vrai coupable [...].

Une des avocates m'a posé une dernière question sur la déclaration que Daniel a faite : est-ce que vous pouvez confirmer ce que dit votre fils au sujet de la fillette qui aurait été battue ? J'ai répondu que je l'avais su à la télé, comme tout le monde. Parce qu'attention, maintenant, je serais inculpé aussi dans cette affaire ! Attention, ça devient grave [...]. J'espère que Daniel n'a pas avoué n'importe quoi, parce que le gamin, ils l'ont peut-être usé à l'interrogatoire. Puis le Daniel, à force, il peut s'accuser de n'importe quoi [...]. Il faut voir, s'il a vraiment fait des actes, on l'avait peut-être drogué, saoulé ou menacé ? Il faut qu'il le dise à son avocate.

[...] Enfin, j'espère que tout ça va se terminer, car ça commence à faire long pour moi.

[...] Maintenant, si la justice n'y voit pas clair, je n'y comprends plus rien [...].

Ton mari qui pense à toi, Nadine

Papa

Le jour de sa confrontation avec Myriam Badaoui et ses deux acolytes, Daniel Legrand père n'avait finalement pas vu son fils dans les couloirs du tribunal. Pourtant, quelques heures après, ce dernier lui succédait dans le bureau du juge. Lui aussi venait pour une confrontation.

Mais, en faisant ses aveux, il n'avait pas réalisé une chose : il avait changé de camp.

Daniel Legrand FILS
70e jour de détention, Loos-lès-Lille
25 janvier 2002

Les confrontations, c'est trop dur. Je ne sais pas si je vais tenir le coup. J'ai honte.

J'ai fait des aveux, j'ai montré des gens sur des photographies, j'ai dit qu'ils étaient coupables comme moi : donc maintenant, je fais partie des accusateurs. Alors le juge me convoque régulièrement pour être confronté avec ceux que j'ai désignés.

Donc ces jours-ci, on vient souvent me chercher à l'isolement, on me sort de ma cellule. Ça me fait du bien parce que, même si plus personne ne vient m'embêter ici, être toujours tout seul là-dedans, c'est triste et je finis par perdre la notion du temps et de l'extérieur. Comme d'habitude, on fait la route Loos-Boulogne, ça me détend, je me sens un peu mieux, je me mets à rêver de liberté pendant le trajet.

Jusqu'à ce que je me retrouve dans le bureau du juge. Assis à côté de Myriam Badaoui, d'Aurélie Grenon et de David Delplanque. Cette fois, je suis avec eux, je fais partie de leur bande.

Et en face de nous quatre, il y a quelqu'un qui vient crier son innocence.

D'abord, il y a eu le curé : Dominique Wiel. Je l'ai tout de suite bien aimé, il m'inspirait confiance : un barbu avec les cheveux grisonnants et des yeux qui observent tout. Et un sacré caractère. Quand il est arrivé dans le bureau du juge, il y a une dizaine de jours, et qu'il nous a vus assis tous les quatre en rang d'oignons, avec nos avocats et nos escortes, il s'est mis dans une colère... Il criait en disant qu'il exigeait une confrontation séparée, qu'il refusait d'être interrogé dans ces conditions-là. Ils l'ont installé à côté de moi. Cette fois, c'était à son tour d'être tout au bout de la rangée. Il continuait à clamer son désaccord. Je le regardais, et je comprenais bien ce qu'il voulait dire. J'en avais de la peine pour lui.

Le juge n'a rien voulu savoir, il a commencé l'interrogatoire. En signe de protestation, l'avocat de Dominique Wiel a quitté la pièce. Le curé, lui, s'est levé de sa chaise. Et il s'est mis à chanter *La Marseillaise*. Il s'est arrêté quelques secondes, il s'est tourné vers les policiers et, avec un petit sourire, il leur a dit : « Allons, messieurs, debout pour *La Marseillaise* ! » Et il s'est remis à chanter. Les policiers se sont levés, pas pour se joindre à lui évidemment, mais pour le forcer à se rasseoir. C'était un sacré boucan, tout le monde s'énervait, l'abbé qui criait, « Aux armes, citoyens ! Formez vos bataillons... », les policiers qui n'arrivaient pas à le faire taire, Aurélie Grenon qui tremblait de tout son corps en pleurnichant, David Delplanque qui ne bronchait pas, comme à son habitude.

Et Myriam Badaoui... !

Myriam Badaoui était terrorisée, ou bien elle faisait semblant, je ne sais pas. En tout cas, elle s'est mise à quatre pattes et, à quatre pattes, elle a fait le tour du bureau du juge pour aller le rejoindre. En sanglotant, en jetant des petits coups d'œil terrifiés vers l'abbé qui continuait de chanter. Le juge s'est levé précipitamment et il est allé la rassurer. C'était complètement dingue ! J'hallucinais, je me disais : « Mais c'est une folle ! »

Et je regardais l'abbé Wiel : je l'admirais tellement d'avoir le courage de faire ça.

Une fois que ça s'est un peu calmé et qu'ils ont réussi à faire rasseoir le curé, l'audition a pu débuter. Le juge se donnait une contenance, mais on voyait qu'il était stressé à fond. Il a fait parler Myriam Badaoui la première. Et alors là, elle n'a pas épargné le pauvre abbé ! On voyait qu'elle était en train de se venger, c'était horrible : ça n'en finissait pas au niveau de ses accusations. Un vrai Satan, d'après ce qu'elle racontait. Le juge a demandé à Dominique Wiel ce qu'il avait à répondre, mais il a refusé de parler, il ne disait rien, silence total. Ensuite, le juge s'est tourné vers Aurélie Grenon, puis vers David Delplanque, qui ont répété chacun leur tour ce que disait Myriam Badaoui. Exactement comme ils avaient fait pour ma confrontation à moi, il y a un mois. J'avais l'impression de revivre ce qui s'était passé ce jour-là. J'en avais le cœur qui tambourinait, parce que je pensais à mon père, je me disais qu'il avait sûrement subi ça aussi. Je me demandais comment il avait pu réagir : à mon avis, ils avaient dû l'entendre... Le curé, lui, n'ouvrait pas la bouche, muet. D'ailleurs, il n'a plus rien dit de toute la confrontation, il refusait catégoriquement de s'exprimer. Et je regardais Myriam Badaoui, elle mettait aux deux autres des petits coups de coude ou elle leur faisait un signe dès qu'ils étaient hésitants, pour qu'ils la suivent. Je l'ai vu de mes yeux et j'étais suffoqué qu'on puisse laisser faire ça.

Les trois avaient parlé. Alors le juge s'est tourné vers moi : c'était mon tour.

« Vous avez reconnu formellement sur photographie Dominique Wiel pour avoir participé aux faits de viols. S'agit-il bien de Dominique Wiel, ici présent ? »

Ce n'est pas possible. Je ne peux pas faire ça.

« Non. »

J'ai dit : « Non. » J'ai bafouillé que je m'étais trompé. Que je ne le connaissais pas, ce monsieur. Que j'avais confondu avec quelqu'un. Le juge n'était pas content, pas content du tout. Il a insisté, il m'a demandé si j'avais peur du curé. Je lui ai répondu que, comme je ne le connaissais pas, je ne pouvais pas en avoir peur. Il a fallu que je lui répète ça cinq fois, six fois : mais il me redemandait, il revenait à la charge. Mais je tenais bon. Je ne pouvais pas faire autrement, c'est tout : je ne pouvais pas faire autrement. Le curé avait été courageux, lui. Et comme je répondais toujours : « Non, je vous dis que je ne le connais pas », le juge a fini par demander aux trois autres si j'étais bien venu dans l'appartement des Delay en même temps que l'abbé. Et ils ont tous dit oui les uns après les autres.

Quelques jours après, c'était le taxi : Pierre Martel. Et le même cirque, exactement. Lui, je le connaissais, puisque je l'avais rencontré à Coquelles, pendant ma garde à vue : il avait fini par dire que j'étais peut-être monté dans son taxi avec Myriam Badaoui, mais j'avais bien vu qu'au fond il ne savait plus trop. Il avait l'air un peu moins fatigué, mais toujours aussi distingué, poli, avec un air gentil. Surtout, il avait le regard tellement triste. Je sentais bien que lui aussi il était comme moi, comme mon père, comme le curé : complètement paumé. Que le ciel lui était tombé sur la tête.

Alors après Myriam, Aurélie et David, lorsque ç'a été à mon tour de parler, j'ai fait pareil qu'avec Dominique Wiel : je me suis rétracté. En m'embrouillant encore plus, d'ailleurs. Se rétracter pour un, ça va ; mais pour un deuxième, ça commençait à devenir compliqué. Je ne savais pas trop comment m'en sortir. Et le juge, ça se voyait, il était bouleversé ! Il avait l'air de se dire : « Encore ! Il se rétracte encore ! » Je lui ai expliqué qu'en fait je m'étais mal exprimé et, pendant que je disais ça, je cherchais ce que j'allais bien pouvoir trouver comme excuse. Finalement, j'ai annoncé que Thierry et Myriam m'avaient menacé. Qu'ils m'avaient ordonné d'accuser certaines personnes. Pourquoi ?... Parce qu'ils m'avaient assuré qu'en impliquant un maximum de gens je prendrais moins de peine, question détention. Je n'ai rien trouvé d'autre, j'étais gêné, je bégayais un peu. L'avocate de Myriam Badaoui m'a fait la remarque : « Ce n'est pas très clair, monsieur Legrand... » Quant à sa cliente, elle a lancé au juge, comme pour lui venir en aide : « Il a peut-être peur ? »

Peur de qui ?

Je n'ai pas peur de cette femme. J'ai peur de la prison, ça n'a rien à voir. Je ferais tout pour en sortir et pour qu'on m'écoute. Mais pas ça. Pas accuser des gens que je ne connais même pas, comme ça, froidement, les yeux dans les yeux. Je ne peux pas. Quand je les ai accusés sur photos, c'était facile. Mais de les avoir en face de moi, comme ça... J'ai mal au cœur de les voir ainsi, à clamer leur innocence avec de la douleur dans les yeux. Je sais trop ce que ça fait. Si je les accuse, je vais les mettre dans la même situation que celle que j'ai vécue pendant ma confrontation. Ce n'est pas possible, ce n'est pas humain, je ne suis pas une bête. Ces gens non plus, ils n'ont rien fait. Ça crève les yeux.

Et je repense à François Mourmand. Et ça me fait vraiment mal. Je m'en veux, je m'en veux terriblement. À lui aussi, j'ai été confronté. Je savais qu'il avait déjà fait de la prison pour vol, alors je me disais qu'il pouvait peut-être faire partie des coupables. Cette confrontation-là, c'était le 9 janvier. Autrement dit, le matin où le juge m'avait convoqué la première fois pour le meurtre de la petite fille, juste après avoir reçu ma lettre. Ce jour-là, je n'étais pas moi. J'ai baissé les yeux, j'ai dit : « Oui, il y était. »

Maintenant, je suis dans ma cellule, à l'isolement, et je regarde ma vitre ébréchée. Le visage de François Mourmand me revient. J'essaie de le chasser, mais je n'y arrive pas. J'en ai plein la tête. Ce n'était pas moi. Je n'ai jamais été aussi seul de ma vie que depuis ces deux derniers mois, mais, là-bas, dans le bureau du juge, c'est bien pire. C'est pire de se retrouver à côté des trois autres, dans le même panier. Je ne sais pas si je pourrai continuer. Parce que ce n'est pas possible, je suis désolé : je ne suis pas comme eux.

À la toute fin de la confrontation de Pierre Martel avec ses quatre accusateurs, le juge d'instruction faisait noter sur le procès-verbal :

« Mention : Constatons que M. Daniel Legrand fils a les larmes aux yeux.
Question à M. Legrand fils : Pourquoi avez-vous les larmes aux yeux ?
Réponse : C'est l'émotion.
Question à M. Legrand fils : À quoi est due cette émotion ?
Réponse : Je suis fatigué... »

Pendant cette période, le jeune Daniel continuait d'écrire à son père. La plupart des lettres entre le père et le fils allaient être ensuite perdues dans la tourmente d'Outreau. Ils ne s'y disaient rien d'autre, à vrai dire, que l'essentiel, chacun à sa manière : « Je t'aime. »

Daniel Legrand PÈRE
73e jour de détention, Amiens
28 janvier 2002

28 janvier 2002

Chère Nadine,

J'espère que tu vas bien, ainsi que toute la famille. Moi ça va, à part que je n'ai pas trop le moral [...].

Parce que tu sais, Nadine, si j'avais vraiment quelque chose à voir dans cette histoire, je ne laisserais pas mon pauvre gamin seul dans cette situation, à le laisser accuser sans rien dire, à moins de n'être pas un père. Déjà, j'ai du mal à croire qu'il y soit impliqué. Tu sais Nadine, j'ai reçu peu de courrier de lui, mais c'était toujours des nouvelles pour me remonter le moral, et il ne me parle jamais de rien au sujet de cette sale histoire. Peut-être se sent-il gêné, je ne sais pas. Alors c'est pour cela, quand je lui écris, je ne lui parle de rien non plus [...]. Je suis comme toi, ça me travaille. Enfin, j'espère qu'il dira vraiment comment tout cela s'est passé, et de la faute à qui, car Daniel, à 16 ans, il ne vivait que pour le foot. Tout ce que je demande, c'est qu'il ne s'ennuie pas trop en prison, lui qui aimait bien aller faire son petit tour [...].

Depuis la confrontation, je n'ai pas eu de nouvelles et à la télé, ils ne parlent plus de rien. Peut-être en sais-tu un peu plus par les journaux ? [...] Enfin, peut-être que l'enquête continue aussi. L'autre jour, ils avaient dit à la télé qu'ils avaient trouvé des cassettes[1]*, peut-être vont-ils trouver les vrais coupables (le patron du sex-shop, celui qui se déplaçait en Belgique et autres) ? Comme ça, ils verront bien qu'ils se sont trompés sur mon compte, car moi, quand je dis la vérité, j'ai l'impression que l'on ne me croit pas. Pourtant, il n'y a pas trente-six façons de le dire.*

J'espère qu'à Boulogne, il fait beau. Ici, il pleut souvent ou il fait du brouillard, à part aujourd'hui où nous avons eu une journée ensoleillée. Mais soleil ou pas, les journées sont toutes tristes loin de vous. Je devrais être à mon travail comme tout le monde, et avec ma famille. Mais que veux-tu, je n'ai jamais eu de chance, alors ce n'est pas aujourd'hui que cela va changer.

Nadine, sur ceci, je te quitte, garde le moral et écris-moi vite. Quand je reçois du courrier, pour moi, c'est le meilleur moment de la journée.

---

1. Les seules cassettes pornographiques retrouvées dans cette affaire sont les cent soixante-trois films X découverts lors de la perquisition au domicile de Myriam Badaoui et de Thierry Delay. À la fin de l'un de ces films, les policiers retrouvèrent des images filmées au Caméscope et mettant en scène les ébats sexuels du couple. À l'arrière-plan apparaissait l'un de leurs enfants.

En espérant que l'enquête avance très vite pour que cette lettre soit la dernière.

À bientôt,

Papa qui pense à vous.

L'enquête n'avançait pas. Ce qui, finalement, était plutôt une bonne nouvelle. En effet, on ne découvrait rien de nouveau au sujet du meurtre de la fillette, rien de nouveau au sujet du réseau de pédophilie, rien de nouveau au sujet de la Belgique. On cherchait encore, mais on ne trouvait toujours pas.

Or, le principe est simple : lorsque les enquêteurs ne trouvent pas ce que le juge recherche, cette situation constitue, en toute logique, un élément à décharge pour les accusés. On ne trouve pas, c'est donc peut-être que cela n'a jamais existé, c'est donc peut-être qu'ils sont innocents.

Bref, une bonne nouvelle...

Mais les éléments à décharge avaient-ils toute leur place dans cette instruction ? Un fait nouveau concernant Daniel Legrand fils était éclairant.

Le jeune homme était à bout. Voulant protéger ses parents de toute inquiétude, il ne se confiait à personne. Un jour, il finissait par craquer et livrait son secret à un gardien de prison. Lequel, touché par la détresse et la sincérité du jeune homme, faisait part de ces confidences à sa hiérarchie.

Il était alors demandé à ce gardien de rédiger un rapport. Il s'exécutait immédiatement.

Le 1er février 2002

À Monsieur le directeur
Sous couvert de Monsieur le surveillant-chef de détention

Objet : dires d'un détenu suite à son instruction

Monsieur,

Je vous fais part de ce compte rendu pour vous signaler que le détenu LEGRAND Daniel 64473 lors de son retour d'extraction du tribunal de grande Instance de Boulogne-sur-Mer le 01.02.02 vers 13 heures m'a mis dans la confidence de son instruction.

D'après ses dires, il a déclaré à son juge d'instruction qu'il avait assisté au viol et au meurtre d'une enfant, il y a quelque temps, dans la banlieue de Boulogne et que celle-ci avait été enterrée sur la commune d'Outreau. D'après les dires de ce détenu, les faits qu'il a déclarés à son juge sont totalement faux.

Il m'a déclaré qu'il avait dit cela pour se défendre et inventé tout cela pour qu'il soit libéré, et que ces faits étaient une pure invention pour poser problème à quelques personnes liées à cette affaire. Dans la conver-

sation que j'ai eue avec lui, il me disait qu'il avait inventé pas mal d'autres choses pour être transféré plus près de chez lui.

Des confidences comme cela ne peuvent pas rester en moi, c'est donc pour cela que je vous rédige ce compte rendu.

Compte rendu qui était, sur-le-champ, transmis par la directrice de la maison d'arrêt de Loos au juge d'instruction Fabrice Burgaud.

Ce document constituait un élément à décharge évident. Il aurait dû se retrouver très rapidement dans la procédure. Il aurait dû provoquer une nouvelle audition de Daniel Legrand fils, afin qu'il s'en explique.

Pourtant, il n'était tout simplement pas versé au dossier. Autrement dit, juridiquement parlant, ce compte rendu n'existait pas. Évanoui.

Erreur du greffier ? Ou partialité d'un juge[1] ?

Si la confidence de Daniel Legrand fils au gardien de prison n'était pas prise au sérieux, sa « culpabilité » et sa dénonciation du meurtre de la fillette l'étaient bien davantage. Elles méritaient une récompense. Le juge d'instruction confiait à maître Rangeon, avocat de Daniel Legrand fils, que, au vu de l'attitude coopérative du jeune homme, il avait décidé de lui faire une faveur...

---

1. Le compte rendu du gardien de prison n'apparaîtra que plus tard dans la procédure, par d'autres voies : la police mènera une enquête sur la violation du secret de l'instruction et sur la lettre que Daniel Legrand fils a fait parvenir à France 3. La directrice de la prison sera alors interrogée et remettra aux policiers un rapport avec, en annexe, le témoignage de ce gardien.

Daniel Legrand FILS
80e jour de détention, Loos-lès-Lille
4 février 2002

La porte de ma cellule s'ouvre. Je suis prêt : j'ai réuni toutes mes affaires, j'ai fait mon paquetage, je n'ai rien oublié. Ils me l'ont annoncé hier : je m'en vais.

Loos, c'est terminé. La cellule d'isolement, c'est fini aussi.

Je change de prison. Je vais à Longuenesse.

La voiture roule, je vois qu'on se rapproche de plus en plus de Boulogne-sur-Mer. Longuenesse, c'est près de chez moi. Je suis content : j'aurai l'impression d'être moins éloigné de ma famille.

Quand on y arrive, je vois tout de suite la différence : la prison est beaucoup plus petite qu'à Loos, beaucoup plus moderne aussi. Et on me dit que les détenus y sont bien plus tranquilles.

Mon avocat, maître Rangeon, m'avait prévenu : « Le juge vous fait un cadeau. »

Mais pour Daniel Legrand père, c'était une tout autre histoire...

Daniel Legrand PÈRE
75e jour de détention, Amiens
30 janvier 2002

Je regardais *Inspecteur Derrick* à la télévision. Je ne connaissais pas avant. Avec toutes ces journées passées derrière les barreaux, à attendre qu'on me donne un travail que je n'arrive d'ailleurs toujours pas à obtenir, je l'ai vu et archivu, ce feuilleton.

J'étais en train de regarder un épisode quand la porte de la cellule s'est ouverte. Le gardien m'a dit : « Allez, Legrand, paquetage ! »

J'ai pris mes draps, ma couverture, mon linge. Les lettres de la famille, que j'ai mises dans un petit carton : c'est ce que j'ai de plus précieux. Parce que, pour l'instant, personne n'a pu venir me voir : toujours pas d'autorisation. Ce courrier, c'est mon seul contact avec la vie.

Et maintenant, je marche derrière le gardien dans les couloirs. Je récupère aussi mon café, mon tabac, les bricoles que j'ai achetées avec le mandat que Nadine m'envoie chaque mois. Ensuite, je monte dans une fourgonnette. Un flic avec un pétard à côté de moi, deux autres devant. Et on s'en va. Où ? Ça, j'aimerais bien le savoir. On m'a dit que j'étais transféré, mais on n'a pas voulu me dire dans quelle prison.

On sort d'Amiens, on prend l'autoroute. Je regarde la route à travers la fenêtre du fourgon, on roule, on roule, on roule. On n'arrête plus de rouler. Et j'ai le cœur qui se serre de plus en plus. Bon sang... Je ne sais pas où je vais, mais je sais une chose : plus on s'éloigne, moins j'ai de chances de revoir les miens. Si elle finit par obtenir le permis de visite, Nadine ne pourra jamais payer le train pour faire un tel trajet vu qu'elle n'a plus de ressources, plus de salaire.

Ils sont en train de me couper de ma famille.

Après deux heures de route, à me demander quoi, à regarder les panneaux sur la route, à compter les kilomètres, on arrive : Fresnes.

Il a fait ça... Le juge m'a envoyé à Fresnes... Est-ce qu'il y a une prison pire que celle-là ?

J'entre. Des couloirs, des grands couloirs de la mort. Humides, immenses. Au-dessus, des voûtes, c'est arrondi de partout, on dirait une cave, gigantesque. C'est sombre, froid, et il y a des portes dans tous les sens. L'usine. Des voix qui résonnent, dans toutes les langues, avec par-dessus le bruit de mes pas et des serrures qui se ferment au fur et à mesure que j'avance. Mais qu'est-ce qu'il m'arrive là ? Qu'est-ce qui va se passer ? Avec qui je vais me retrouver ? Ils veulent ma mort ou quoi ?

On marche, on marche et finalement, un gardien ouvre une porte de cellule, puis il la claque derrière moi, même pas bonjour bonsoir, interné comme un chien, tout seul.

Je suis choqué. J'essaie de reprendre ma respiration, elle s'est bloquée, j'ai le cœur qui bat à cent à l'heure. Et je me jette sur le lit. Je n'ai jamais eu aussi peur. Je n'ai jamais autant pleuré.

Le juge d'instruction avait confié à maître Rangeon, avocat du fils Legrand, qu'il avait pris la décision de faire placer Dominique Wiel, particulièrement contestataire, à Fresnes et Thierry Delay, particulièrement muet, à la Santé : « Ils vont en baver, ils vont changer d'attitude[1]. » Tels étaient les termes employés. Dans le même temps, Daniel Legrand père, chef présumé d'un vaste réseau pédophile, était également transféré à la prison de Fresnes.

Pour en baver, lui aussi ?

À l'inverse, les relations du juge d'instruction avec le fils Legrand s'étaient grandement améliorées. Maître Rangeon observait que le regard de Fabrice Burgaud sur son client avait changé, il était en tout cas nettement plus aimable et prévenant avec lui. Il était devenu, aussi, beaucoup plus coopératif à l'égard de maître Rangeon lui-même. Ce dernier n'allait pas s'en

1. D'après la déclaration faite sous serment de maître Olivier Rangeon devant la commission d'enquête parlementaire, en 2006.

plaindre, car le juge n'hésitait plus, désormais, à lui faire part de certains éléments du dossier[1].

C'était surprenant, car les rapports de Fabrice Burgaud avec la plupart des autres avocats n'étaient pas bons. Beaucoup d'entre eux regrettaient que le jeune magistrat instructeur, enfermé dans son bureau, ne réponde que rarement au téléphone, qu'il n'écoute pas les arguments qu'on lui opposait ou les conseils qu'on lui suggérait. Maître Franck Berton et maître Hubert Delarue, avocats respectivement d'Odile et d'Alain Marécaux, avaient même demandé une délocalisation du dossier, ce qui aurait conduit à ce que celui-ci soit traité ailleurs qu'à Boulogne-sur-Mer. La manœuvre entraînant, *de facto*, le dessaisissement du juge Burgaud.

Les avocats se plaignaient en effet de ne toujours pas disposer de l'intégralité des pièces de la procédure, manquement scandaleux après plusieurs mois d'instruction et de demandes réitérées ; ils s'insurgeaient contre le principe systématique des confrontations collectives ; ils dénonçaient l'existence de déclarations très contradictoires de la part des mis en examen, ce qui était une manière polie de dire que Myriam Badaoui racontait n'importe quoi. Le problème étant le crédit immodéré qu'on lui accordait.

Ils parlaient également du « climat délétère » qui régnait à Boulogne-sur-Mer, la « couverture médiatique quasi quotidienne de cette affaire, tant par la

1. *Idem.*

radio que par la télévision » ayant pour effet de « déchaîner les passions locales ».

Jean-Amédée Lathoud, procureur général près de la cour d'appel de Douai, rejetait cette demande de délocalisation.

Dommage.

En effet, un « climat délétère » régnait bien à Boulogne-sur-Mer : suspicions, rumeurs et délations planaient sur la ville. Un voisin des Legrand se confiait à la police : Daniel Legrand père sortait le soir. Souvent. Tard. Certains week-ends, entre 23 heures et 1 heure du matin. Pour faire quoi, mystère... Même qu'un soir, à minuit, il l'avait vu revenir du fond de son jardin avec une pelle à la main. Rendez-vous compte : un jardin, une pelle... Étrange à cette heure-là, non ? L'homme avait eu avec les Legrand quelques querelles de voisinage, mais ça n'avait bien sûr rien à voir : s'il pouvait rendre service...

Daniel Legrand père aimait bien la pêche. Il sortait donc parfois la nuit pour aller lever ses filets, en suivant les heures de la marée. Quant à la pelle, se défendait-il devant le juge, il ne voyait vraiment pas : « Qu'est-ce que j'aurais pu enterrer la nuit ? Ce n'est pas un trésor : je n'en ai pas... »

Mais les plus susceptibles d'être influencés par ce « climat délétère » et médiatique étaient malheureusement les enfants.

Les petits Delay avaient, les premiers, nommé leurs parents. Puis d'autres adultes. Puis tous les enfants qui, comme eux, avaient « subi des manières ». Ces derniers avaient donc été interrogés. Ou plus exactement, ils avaient fait l'objet d'une « rafle » : le jour où les policiers du commissariat de Boulogne-sur-Mer avaient arrêté les premiers suspects, ils en avaient également profité pour emmener dans leurs fourgons une vingtaine de gamins du quartier. Le poste de police était devenu une cour de récréation : cavalcades, fous rires, gros sanglots et nez qui coulent. Pendant que les parents étaient auditionnés, voire mis en garde à vue, les enfants attendaient en trépignant que le petit copain ou la petite copine ait fini de répondre aux questions des policiers : c'était chacun son tour. Mais les réponses étaient toujours les mêmes : « Non, on ne m'a jamais rien fait. »

Cependant, au fil des semaines et des mois, au fil des journaux télévisés et des éditions spéciales, les choses évoluaient : certains de ces mêmes enfants changeaient de version. Une petite blonde affirmait avoir bel et bien vu le meurtre de la petite fille... laquelle avait été attachée sur une chaise dans un parking. Elle ajoutait : « Je connais Dany Legrand. Il venait dans mon escalier et discutait avec les autres. » Entendue d'urgence par les policiers, elle en rajoutait : « Le plus pire, c'est que j'ai été violée par trois hommes à la fois. » Dont « David que je pense Legrand car j'ai entendu ce nom à la télé ». Les policiers traduisaient « David que je pense Legrand » par Dany Legrand. Soit Daniel Legrand fils. Voire Daniel Legrand père. Enfin, l'un des deux.

Il faut préciser que ces enfants avaient été, pour la plupart, séparés de leurs parents. Soit que ces derniers aient été mis en prison du jour au lendemain. Soit que les petits aient été placés en familles d'accueil sans crier gare : dans le doute, les services sociaux étaient venus chercher nombre d'enfants qui résidaient à la Tour du Renard, à Outreau, les enlevant d'autorité à leur mère, à leur père. Au total, une trentaine d'entre eux avaient été placés. Au cas où quelques pédophiles traîneraient encore dans le quartier...

Alors les enfants n'y comprenaient plus rien. Qu'est-ce qu'il fallait faire pour retrouver « papa et maman », qu'est-ce qu'il fallait dire ? Au début, ils avaient répondu : « Non, on ne m'a rien fait. » Résultat : on les avait arrachés à leur famille. Alors maintenant, ils disaient : « Si si, on m'a fait des choses ! » C'était, en quelque sorte, à celui qui avait été le plus violé. Et les adultes pensaient : « On a réussi à les mettre en confiance : ces pauvres petits osent enfin parler... »

Le « climat délétère » avait donc tout contaminé. On en était même arrivé à se demander si Daniel Legrand père, dans ses courriers à son fils, ne tentait pas d'inciter ce dernier à revenir sur ses aveux...

Daniel Legrand PÈRE
94e jour de détention, Fresnes
18 février 2002

Le 18 février

Salut Daniel,

J'espère que tu vas bien et que tu as le moral. Moi, ça peut aller. Maman m'a écrit et m'a donné ta nouvelle adresse, donc tu serais à Longuenesse. Tu es peut-être mieux là qu'à Loos, tu auras peut-être plus d'activités ici. Tu sais, c'est là que Papa a travaillé pendant six mois[1].

Si Maman a l'autorisation de te voir, ça sera moins loin pour elle. Tandis que pour moi, ce n'est même pas la peine...

Si tu es avec quelqu'un dans ta cellule, j'espère que tu es bien tombé. Moi non, je suis toujours seul dans

---

1. Daniel Legrand père a travaillé sur le chantier de la prison de Longuenesse, installant portes et grilles...

ma cellule, enfin, ce n'est pas grave, à force, on s'y fait et je n'ai pas le choix. Je n'ai toujours pas de travail. Peut-être que toi, tu auras plus de chances d'en avoir. Enfin là-bas, j'espère que tu peux faire du sport, tu aimais bien ça, tu es un sportif. [...]

L'autre jour, ils ont passé un reportage à la télé sur France 2, vers les onze heures, je t'ai vu et moi aussi : ils ont fait voir ma photo. Ils ont parlé de Badaoui, il y a une personne qui a dit : « Il va falloir qu'elle dise la vérité. » Enfin moi, j'ai compris ça comme ça.

Tu comprends Daniel, c'est une femme qui veut accuser tout le monde. Mais tu sais, Daniel, les menteurs comme eux, ils finiront bien par avouer. Qu'ils ne croient pas pouvoir m'accuser longtemps, parce que je ne me laisserai pas faire par des gens qui mentent. C'est normal qu'ils mentent, ça leur rapporte peut-être de l'argent, alors il faut bien accuser quelqu'un.

Enfin Daniel, je vais te laisser pour aujourd'hui, j'espère que tu m'écriras. Salut Daniel, ton père qui pense beaucoup à toi. Écris-moi dès que tu reçois mon courrier.

Papa

Daniel Legrand FILS
87e jour de détention, Longuenesse
11 février 2002

Le 11 février 2002

Un grand bonjour à mon Papa que j'aime

J'espère de tout cœur que tu vas bien, mon Papa, et que tes journées ne sont pas trop longues. Je sais que ta femme et tes enfants doivent beaucoup te manquer.

Moi ça va, j'ai le moral et je vais très bien. J'ai changé de prison, je suis à Longuenesse depuis le 4 février 2002. Ici, tu ne peux pas savoir comment c'est beaucoup mieux qu'à Loos, question hygiène et confort : il y a une nette différence. Et j'aurai l'occasion de travailler, mais pour l'instant, j'attends de bien m'adapter. Sinon, je suis tout seul en cellule, je préfère.

J'espère que toi, tu as du travail, car je sais que cela doit beaucoup te manquer, surtout toi qui aimes tellement ton travail.

Papa, je veux que tu saches que je suis fier d'avoir un père comme toi, je suis le garçon le plus heureux du monde.

Sinon, il n'y a pas longtemps, j'ai vu Peggy au parloir, ça m'a fait très plaisir, mais je n'ai pas eu l'occasion de voir Maman, elle n'a pas encore le permis de visite, j'étais très déçu.

Papa, encore une fois, ne fais pas attention à ce que tu peux entendre sur moi, ne t'en fais pas pour moi. De toute façon, la justice n'est pas idiote, tôt ou tard, Papa, j'espère que j'aurai l'occasion de te revoir très bientôt, car tu me manques beaucoup, Papa.

Papa, je te laisse pour cette fois-ci, à très bientôt mon père que j'aime très très très fort. Surtout prends bien soin de toi et de ta santé. Je t'embrasse très très fort, Papa. Je t'aime. Courage et patience, mon papa adoré. T'inquiète pas, un jour, ces gens finiront par craquer. Je pense à toi chaque jour que Dieu fait. Salut.

Daniel, ton fils qui t'aime très très fort

Ces deux lettres étaient versées au dossier...

Daniel Legrand FILS
95e jour de détention, Longuenesse
19 février 2002

Je suis content. J'ai écrit à mon père. Maintenant, je lui envoie des lettres tout le temps. Des tas de mots doux pour lui faire du bien au moral. C'est bien, j'aurais dû faire ça avant, j'ai l'impression de remonter la pente, d'aller un peu mieux.

Sauf que aujourd'hui encore, je suis convoqué chez le juge. Je déteste ça. De plus en plus.

Je culpabilise. J'en ai marre de mentir. Depuis toutes ces confrontations, je me dis que ce n'est pas bien, que je n'ai pas le droit d'agir ainsi. Je n'ai pas été élevé de cette façon. Mentir tout le temps, et en plus, devant la France entière. Devant ma mère, mon père. Mon père... Il ne me parle pas de tout ça dans ses courriers, ni de mes aveux, ni de la fillette. Je lui en suis reconnaissant. Et je me dis que c'est dommage que j'en sois arrivé là. Et puis, il faut bien se rendre à l'évidence : j'ai fait ça dans le vide. Puisqu'il n'y a rien qui s'arrange : je suis toujours en prison.

J'y pense tout le temps. Depuis que je suis à

Longuenesse. Je me dis que je ne peux plus continuer comme ça. J'ai promis à Peggy.

Je suis convoqué. Et dans la voiture, j'essaie de me donner du courage. Il faut que j'essaie. Il faut que je me rétracte. Et puis si je dis que tout est faux, ça prouvera une chose : Badaoui a menti. Rien que pour ça, il faut le faire.

Mais je ne sais pas si j'y arriverai.

Je m'installe dans le bureau. Seul, cette fois. Le juge commence à me poser des questions sur ma lettre concernant le meurtre de la fillette : il veut savoir comment j'ai réussi à faire sortir l'exemplaire pour France 3. Je lui explique que je l'ai fait passer par un détenu. Et puis, sur ses questions suivantes, je m'embrouille. Encore plus que la dernière fois. Je ne comprends plus ce qu'il me raconte : il me parle de ce que j'ai inventé aux différentes confrontations – le fait que Myriam et Thierry m'avaient menacé pour que je dénonce d'autres personnes... Mais je ne me souviens plus exactement, je dis finalement que c'est le contraire, qu'ils n'avaient pas dit ça, enfin, je perds complètement les pédales... Je crois que je ne vais pas arriver à lui dire, c'est trop dur, je ne sais plus comment m'en sortir. Tout s'emmêle. Et si je me rétracte, comment il va réagir ? Je me dis qu'il va me changer de prison, un beau matin je vais entendre : « Legrand, paquetage ! », et direction Loos. Ou Fresnes, comme ils ont fait pour mon père...

Le juge continue de me poser des questions, je n'entends plus vraiment, je revois la cellule d'isolement, la vitre ébréchée. Et je n'arrive plus non plus à lui répondre, ça prend trop d'énergie de mentir et, en plus, de se souvenir de ses mensonges. Comment elle fait, Myriam Badaoui ? Moi je n'en peux plus.

Je suis fatigué.

Alors je me tourne vers mon avocat, je lui dis que je voudrais lui parler. On interrompt l'audition.

Je sors avec maître Rangeon. J'ai la poitrine qui va exploser. Je le regarde, j'essaie de garder mon sang-froid, de serrer les poings, mais je ne sais pas ce qui se passe, soudain, quelque chose se casse : je me mets à sangloter. Je n'arrive plus à m'arrêter, ça me dévaste. Trois mois de cauchemar qui s'en vont en larmes.

Je lui dis ce que j'ai sur le cœur depuis des semaines, je le supplie de me croire : « Moi, j'ai rien fait, j'ai tout inventé, je ne connais pas ces gens, vous comprenez ? » Il me regarde : « Mais pourquoi vous ne l'avez pas dit avant ? » Je lui réponds que je n'étais pas dans mon état normal, que ça m'a échappé. Il me demande : « Et pour le meurtre ? » Je lui avoue que c'est une invention aussi. Il est secoué, il a l'air de ne pas en revenir. Il me dit : « Bon, ben... dites au juge que ça n'est pas vrai, alors... »

Et on retourne dans le bureau.

J'ai peur. J'appréhende de lui dire la vérité. Le juge commence à me demander des explications sur mes rétractations pour Pierre Martel et Dominique Wiel. Je respire. Je prends mon courage à deux mains. Et je déballe tout.

Je lui réponds que ces deux-là clament leur

innocence. Et que moi aussi d'ailleurs, je suis innocent. Que je n'ai jamais rien fait et que je ne connais personne dans le dossier.

Il est vert.

Il se lève, tendu, les mains dans les poches, très en colère. Il me regarde méchamment. Il se braque, il me dit que mes rétractations ne sont pas sincères. Je lui fais : « Je ne vais pas continuer à vous mentir, je vais retarder votre dossier sinon ! » Mais ça ne le calme pas du tout. Au contraire. Je lui explique que j'ai fait ça pour coincer Myriam, mais il ne veut rien entendre.

Et maintenant, il mêle mon père à tout ça. Il me demande : « Vous vous rétractez parce que vous vous apercevez que vous avez mis en cause votre père ? » Mais, moi, je n'ai jamais accusé mon père, jamais ! C'est faux, archifaux, je suis révolté ! Au contraire, je l'ai toujours défendu, comment il peut me dire une chose pareille, pourquoi il veut me coincer comme ça ? Je lui réponds que mon père est aussi innocent que moi. Que c'est simple : je me disais qu'en faisant des aveux, tôt ou tard, on se serait bien aperçu que je n'y étais pour rien.

Mais le juge, il insiste, il ne veut pas me lâcher, il dit qu'il ne comprend pas. Que, pourtant, il ne m'a pas harcelé de questions et que j'ai avoué quand même.

Il me demande alors qui m'a écrit en maison d'arrêt. Je lui réponds : « Mon père, ma mère, ma sœur Peggy, mon frère Grégory. » Il veut savoir ce que m'a écrit mon père. Je le vois venir : il croit que mon père est coupable et que, dans ses lettres, il a voulu me pousser à me rétracter.

C'est là que je comprends : ce n'est pas qu'il ne me croit pas. C'est qu'il ne *veut* pas me croire. C'est aussi simple que ça. Mon père ne m'a jamais demandé de revenir sur mes aveux. Dans ses lettres, pas de menaces, pas de pression, juste de l'amour.

Mais est-ce que ça sert à quelque chose de vouloir le convaincre ? Il me demande si je pense réellement que ma version est crédible. Je dis oui. Parce que c'est la vérité. Et qu'il ne me fera plus changer d'avis. Jamais. Quoi qu'il pense et quoi qu'il veuille entendre. Et après tout, qu'il m'envoie à Fresnes.

Il finit l'interrogatoire sur mon père. Décidément, il lui en veut. Il me demande quels étaient mes liens avec lui. Je lui réponds que j'ai le meilleur père du monde. Que c'est ce qu'il y a de plus important sur cette terre.

Et je suis désolé pour lui si, ça non plus, il n'arrive pas à le comprendre.

Daniel Legrand fils avait menti pendant deux mois. Deux mois, longs comme deux années pour un gosse de vingt ans. Deux mois avec leur lot de douleurs, de traumatismes, de déchirement social et familial, d'espoirs fous et de désillusions saignantes. Deux mois de détention après lesquels il allait en faire encore... vingt-sept.

Vingt-sept mois. Treize fois plus.

Vertige.

Bien que le jeune homme se soit rétracté, le juge Burgaud décidait de lui faire subir une dernière confrontation. Avec Christian Godard, le mari de la « boulangère ». Daniel Legrand fils y maintenait fermement ses dénégations. Fabrice Burgaud ne comprenait pas : lors de ses aveux, il s'était pourtant excusé vis-à-vis des enfants, c'est donc bien qu'il avait des choses à se reprocher. Sinon, pourquoi demander pardon ? S'ensuivait alors un long échange entre le juge et le mis en examen, ce dernier s'évertuant à lui expliquer : « Une fois que je m'étais mis dedans, c'était la moindre des choses de m'excuser. » Mais le juge ne saisissait toujours pas.

Fabrice Burgaud ne devait jamais présenter ses excuses à ceux qui, deux ans plus tard, allaient devenir les treize innocents d'Outreau.

Ils étaient treize. Ils auraient dû être quatorze.

Le 9 juin 2002, la presse annonçait la mort d'un des détenus incarcérés dans le cadre de l'affaire : François Mourmand avait été retrouvé sans vie dans sa cellule. Une instruction est toujours en cours, les circonstances de son décès ne sont pas élucidées, mais il pourrait s'agir d'une erreur des médecins de la prison, due à un surdosage de médicaments : le corps de l'homme était saturé de calmants. François Mourmand était connu des services de police, mais il n'avait jamais rien fait d'autre que voler des voitures. La dernière fois que Lydia, sa sœur, l'avait vu, il avait les poings en sang. À force de taper contre la porte de sa cellule, hurlant que jamais de sa vie il n'aurait touché à un enfant.

En annonçant ce décès, la presse parlait de suicide. Nadine Legrand, en lisant l'encart qui ne citait pas le nom du détenu, manquait s'évanouir : parlait-on de son fils ? de son mari ?

La famille Legrand vivait dans une angoisse permanente. Peggy rêvait régulièrement que des policiers ramenaient son père dans un cercueil. Leur vie entière était chamboulée. Malgré l'insistance de tous, le benjamin, Grégory, quatorze ans et demi, refusait catégoriquement de se rendre en classe : « Tant qu'ils ne seront pas à la maison, je n'irai plus à l'école. » L'adolescent ne supportait plus de voir sa mère pleurer, il s'inquiétait pour sa santé, il avait besoin d'être à ses côtés et tentait au mieux de remplacer les deux hommes de la famille. Nadine Legrand avait enfin obtenu le logement social tant attendu depuis qu'ils avaient dû quitter leur pavillon de Wimereux, c'était donc Grégory qui perçait, montait les éléments, portait les cartons, bref, faisait tout ce que son père aurait dû faire s'il n'avait pas été jeté derrière les barreaux. Frédéric, dix-huit ans, aidait également sa mère, il lui préparait à manger, il allait la chercher dans son lit lorsqu'elle pleurait, il tentait de lui remonter le moral. Même si la douleur du jeune homme, plus secrète, était de celles que l'on tente de perdre dans les rues, à arpenter la ville jusque tard dans la nuit. Frédéric ne se confiait pas mais, en baissant la voix, ses amis avouaient à Nadine qu'il ne souriait plus et que son regard avait changé. Daisy élevait seule ses deux enfants. Elle venait tous les jours chez sa mère pour prendre des nouvelles, elle était dépassée par la tristesse et les tâches quotidiennes, alors on tentait de la préserver de toute cette histoire, car elle ressemblait un peu à Daniel, sensible et plus fragile. Peggy, quant à elle, menait de front la bataille aux côtés de Nadine. Et, par la colère, elle comblait le vide : « Le vide, c'est ce qui faisait le plus mal. Parce qu'on était tellement habitués à être tous ensemble. Or, d'un seul coup, on vous en prend deux en même temps. Alors le vide, il est terrible... »

Chacun, donc, tentait de faire face au drame qui secouait la famille, au mieux de son caractère et de sa sensibilité. En taisant la douleur ou en la pleurant.

Mais, avec la même intensité, tous souffraient.

Et le temps passait.

La presse commençait à faire légèrement machine arrière. Hervé Arduin, le journaliste qui avait suivi pour France 3 l'affaire du meurtre de la fillette et dont la rédaction avait publié la lettre de Daniel Legrand fils, réalisait une contre-enquête. Il y émettait les premiers doutes. Il avait notamment retrouvé un frère de Myriam Badaoui. Lequel déclarait que sa sœur était, depuis toute petite, une menteuse invétérée. *La Voix du Nord*, également, publiait quelques articles moins à charge pour les inculpés.

Mais, globalement, ces éclairages plus nuancés, et donc moins juteux, n'étaient pas repris par les médias nationaux. De même que les rétractations de Daniel Legrand fils étaient passées quasiment inaperçues, alors que sa lettre avait défrayé la chronique.

Un journaliste belge, Georges Huercano-Hidalgo, rendait visite aux Legrand. Il se heurtait à leur désarroi, à ce cri que Peggy lançait : « On n'est peut-être que des petits ouvriers mais, nous aussi, on a le droit à la justice. » Il allait enquêter du côté de la Tour du Renard, où il montrait aux habitants la photographie de Daniel Legrand père, censé avoir fréquenté le quartier. Personne ne reconnaissait son visage. Il épluchait les fiches de paie du chef de famille, toujours présentes dans la commode puisque la police ne les avait pas saisies, et sur lesquelles était mentionné le nombre de ses heures travaillées : de toute évidence, Daniel Legrand travaillait beaucoup trop pour mener des activités parallèles. Le journaliste s'étonnait aussi de ce que Nadine n'eût toujours pas obtenu de permis de visite pour son mari. Elle lui expliquait que le facteur n'était toujours pas passé, entretenant la même confusion que dans le cas de son fils. Il lui répondait qu'il fallait téléphoner à Fresnes, ce qu'elle fit. Le permis pour son mari l'attendait.

Georges Huercano-Hidalgo l'emmenait à Fresnes.

Nadine Legrand, après plus de un an, allait enfin revoir son mari.

Grégory l'avait accompagnée. Mais il n'avait pas pu entrer avec elle au parloir, elle était donc partie seule dans les grands couloirs. Elle marcha longtemps. Elle se tenait aux murs, elle avait peur de tomber, car ses jambes tremblaient. Après des grilles et des escaliers, on l'avait installée dans une petite pièce. Nadine se jurait de ne pas pleurer, elle était là pour remonter le moral de son époux, ils n'avaient que trois quarts d'heure à passer ensemble. Et puis Daniel était arrivé. Il tremblait aussi en étreignant sa femme. Et il éclata en sanglots : « Tu te rends compte, c'est quoi cette histoire-là ? Et tu me vois ici, accusé pour des horreurs comme ça... » Il était tellement secoué par les hoquets que Nadine était obligée de le prendre par le bras pour l'aider à s'asseoir sur sa chaise. Elle lui disait qu'il allait s'en sortir, et puis le gamin aussi, que ce n'était pas possible autrement. Mais lui continuait toujours de pleurer. Alors elle le laissait faire, parce qu'elle se disait qu'il en avait besoin. Elle faisait la forte.

Les trois quarts d'heure passèrent comme un souffle. Daniel quittait le parloir. Et Nadine s'effondrait.

Daniel Legrand PÈRE
380e jour de détention, Fresnes
1er décembre 2002

J'ai vu Nadine. Ça fait plus d'un an que je suis en prison, plus d'un an que je n'ai vu personne de la famille. Alors, de revoir Nadine...

Je ne lui ai pas dit, mais je m'inquiète tellement pour elle. Elle a beaucoup maigri. Et puis ça me rend malade de savoir qu'elle n'arrive pas à joindre les deux bouts. Qu'elle est obligée d'aller faire la queue à 6 heures du matin aux Restos du cœur... Nadine, aux Restos du cœur ! Quand j'ai appris ça... On n'a jamais roulé sur l'or, mais on n'a jamais rien demandé à personne, on s'est toujours débrouillés. Quand je pense qu'elle arrive tout de même à m'envoyer un mandat chaque mois, et puis à Daniel aussi... Elle a toujours tenu à ce qu'on ait la télévision dans nos cellules. Pourtant, ce n'est pas donné, mais c'est vrai que, sans la télé, on deviendrait fous : c'est le seul lien avec le monde du dehors. J'étais si content de la voir. Je fais les comptes, je calcule, il y a quand même un problème. Cette fois, le journaliste belge les a emmenés jusqu'ici, mais la prochaine fois ? Il faudra bien qu'elle paie un billet de train pour venir me voir. Deux, si elle vient encore avec Grégory. Et ça, ça m'embête. Grégory, qui était là, à quelques mètres, et que je n'ai pas pu serrer dans mes bras. Mon petit gosse que je ne vois pas grandir...

J'ai pleuré. C'était la première fois de ma vie que je pleurais devant Nadine. Deux mois à Amiens, dix mois à Fresnes : comment raconter tout ça en trois quarts d'heure ? Les larmes ont tout noyé, il y a des choses que je n'ai pas pu raconter.

Les insomnies. Parce que, quand on ne fait rien de la journée, c'est dur de dormir, et puis de toute façon, on a toujours « ça » dans la tête. Le gardien. Qui, tous les matins, ouvre la porte, regarde deux secondes, genre t'es vivant ça va, je te reverrai ce soir... et qui reclaque la porte sans un mot : rien à foutre. Ça fait mal. Mon nom gravé dans la brique, dans la cour de la promenade. Les bagarres avec deux types qui, à mon arrivée, étaient toujours sur mon dos : « On va te faire ta fête, sale pédophile ! Et le *Détective*, tu vas voir comment on va le faire passer à tous les étages... » Les brûlures à l'eau de Javel, dans les douches, avec les yeux qui brûlent et la peau qui explose. Et puis la cellule en isolement, pour ne plus être embêté, avec les allers et retours entre les murs, sur neuf mètres carrés.

Mais pour les cheveux, ça, elle a dû s'en rendre compte, Nadine. Je les ai perdus, comme ça, d'un coup. Des trous plein le crâne. Le saisissement.

Depuis quelques semaines, je suis avec Jean-Pierre[1]. Je me sens moins seul. Il est plutôt sympa. Tranquille. Je lui parle de mon affaire, je lui montre mon dossier. Et puis je lui parle de mon fils.

Il n'y a pas un jour où je ne pense pas au gosse. Il n'y a pas un jour où je ne m'inquiète pas : je ne peux pas savoir ce qui se passe dans sa tête. Comment il va ? Est-ce qu'il va encore péter un plomb ? Parce que, maintenant, je sais bien qu'il a inventé tout ça parce qu'il a craqué. Je m'en veux d'avoir pu imaginer autre chose. Qu'est-ce qu'ils ont fait de nous pour qu'on en arrive là ? Inventer le meurtre d'une gamine, douter de son propre fils...

C'est vrai, j'y pense parfois, et qu'est-ce que je regrette : la confiance était partie pendant un moment. Mais jamais l'amour, jamais. Depuis le début, je suis deux fois en détention, deux fois derrière les barreaux. Une fois pour moi et une fois pour mon gamin. Double peine.

Il y a un mois, ils ont décidé de me changer de quartier. Ils m'ont conduit à la troisième division, m'ont fait entrer dans une cellule. Elle était toute pourrie. Forcément, pour aérer, ils avaient ouvert les fenêtres et, apparemment, elles n'avaient pas été refermées pendant des semaines et des semaines ; le plafond était à terre. Bref, le délabrement total. Le gardien m'a dit : « Je vais appeler quelqu'un pour faire nettoyer tout ça. » Je lui ai répondu : « Non, laissez, je vais le faire moi-même, ça m'occupera. »

---

1. Le prénom a été modifié afin de préserver l'anonymat du détenu.

Et puis le lendemain, à 7 heures du matin, le gardien tape à la porte : « Legrand, Legrand, levez-vous ! Il faut que vous alliez tout de suite voir le surveillant-chef ! » Bon sang... Tout de suite, je pense à Daniel. Qu'est-ce qu'il se passe là ? Je panique. Ça m'envahit. Je n'arrive plus à descendre les escaliers, j'ai les jambes qui flageolent, je m'accroche à la rampe, j'ai des suées. Et s'il s'était suicidé ? Et si on lui avait mis un coup de couteau dans le ventre ? J'entre dans le bureau du directeur. Il m'annonce : « Je ne fais pas ça avec tout le monde, monsieur Legrand. Mais je vous convoque pour vous demander si vous voulez changer de cellule... »

J'ai eu peur. Mon Dieu, ce que j'ai eu peur. Mon Dieu... La peur de ma vie. Et chaque matin, quand je me réveille, chaque soir, quand je me couche, je pense à mon gosse. Depuis un an.

Et l'année 2002 s'achevait. Les Legrand passaient leur deuxième Noël en prison...

Daniel Legrand PÈRE
405e jour de détention, Fresnes
26 décembre 2002

26 décembre 2002

Nadine,

J'espère que tu vas bien. J'ai bien reçu ta carte qui m'a fait plaisir. Moi, c'est la première carte que je t'écris depuis ta visite. J'espère que tu as passé un bon Noël malgré tout ce qui nous arrive. Tu m'as dit que tu devais aller à la messe de minuit, tu as raison, ça te changera un peu les idées [...].

J'allais dire, tu devrais aller faire la demande de permis de visite pour aller voir Daniel, il serait content de te voir, pauvre gamin. Moi je suis content de te voir bien sûr, mais tu vois combien ça te coûte à chaque fois. Enfin, tu vois.

J'espère que tu es bien installée. J'allais dire pour le gaz, j'avais oublié de te préciser : si tu as le gaz de ville, les jigleurs, c'est bon si tu es obligée de mettre la bouteille bleue. Normalement, ils étaient dans des pots dans l'argentier, ou dans la trousse, il y en avait 6... Et le soir, ferme bien tout, comme je te l'ai dit.

Tu te rappelles, Nadine, l'autre jour, on a un peu parlé de la voiture. Mais enfin, pour l'instant, si elle ne gêne pas trop, laisse-la où elle est pour l'instant. Tu sais, quand je réfléchis, j'ai quand même fait des frais : si j'ai le bonheur de sortir de cette merde, je pourrais toujours la bricoler pour un an ou deux. Hein, Nadine, il n'y a pas de raison que l'on ne sorte pas d'ici ? Ça va faire bientôt 14 mois que nous sommes là pour rien, c'est honteux. Mais enfin, que veux-tu, ces gens-là sont crus. Mais nous, on ne nous croit pas. Enfin, on verra bien, en espérant que l'année 2003 sera meilleure que les années précédentes. [...]

Daniel m'a écrit. Il me dit que ça va, il garde le moral. Pauvre gamin, il ne me le dit pas, mais je sais que ça doit lui faire gros aussi d'être là pour rien. C'est pour cela, Nadine, va le voir : il sera content.

Nadine, je vais te laisser pour aujourd'hui, je te souhaite une bonne fête de fin d'année ainsi qu'à toute la famille. Je t'embrasse, écris-moi.

Bisous

Ton mari

Daniel Legrand FILS
402e jour de détention, Longuenesse
23 décembre 2002

23 décembre 2002

Bonjour Maman,

Je t'envoie ce courrier pour te souhaiter un Joyeux Noël ainsi qu'à toute la famille, même si une nouvelle fois, nous sommes séparés pour rien. Mais ne t'inquiète pas, Maman, la roue tourne, tôt ou tard, pour tout le monde : c'est obligé, Maman. Je vais parfaitement bien, je suis patient et plus que jamais révolté, très loin de me laisser aller dans cette épreuve, dans ce cauchemar qui nous arrive. Tu verras Maman, bientôt, on se retrouvera avec Papa et la famille, il n'y a pas de raison.

De mes journées, je m'occupe comme je peux, je regarde la télé, je sors en promenade, j'écoute de la musique, je lis. Tu as vu Maman, c'est Nolwenn qui a gagné à la Star Academy, Houcine le méritait aussi, mais bon, il fallait un gagnant. Je regarde aussi le football, et ça me fait plaisir. D'ailleurs, ça me manque beaucoup aussi, vivement que je retrouve les terrains.

Ça me fait tout drôle quand même de ne plus vous voir... On m'a vraiment tout pris, et tout ça pour des mensonges, c'est honteux ! Mais tu sais Maman, plus je fais de jours de prison, plus j'ai d'énergie : je me forge un caractère incroyable. Maman, de toute façon, aux assises, ces gens-là, ils vont se faire serrer face aux experts de la Cour.

Alors Papa, il va bien ? Le pauvre, j'espère. C'est énervant, c'est toujours aux meilleurs que cela arrive, c'est injuste.

Maman, je reçois bien ton courrier et cela me fait plaisir, j'espère que tu reçois bien le mien également. Je vais te laisser, tu sais demain je vais faire une prière et j'espère que je serai entendu. Je t'aime et je t'embrasse très fort, Maman. Et embrasse bien Peggy, Bruno, Bébé, Gros, Romain, Teddy, Laurie, Daisy... Joyeux Noël, bisous !!

Et je signe : *L'innocent qui se battra, Daniel*

Et je plie la lettre.

Vous vous levez le matin, vous posez le pied par terre, c'est pour se dire : encore une journée de plus pour rien. Et on parle à qui ? À des murs, ou à son codétenu qui, à force, en a marre. Alors on prend sur soi. Je suis innocent, je suis innocent, je suis innocent, on n'a que cette phrase-là en tête, je me fais un café, je suis innocent. Ça vous habite de la tête aux pieds, ça vous ronge. Et vous feriez n'importe quoi pour qu'on vous croie.

Un soir, ça m'a pris comme ça, je me suis lacéré les mains et les bras avec une lame de rasoir. Quelques semaines plus tard, je l'ai fait une deuxième fois. D'être enfermé entre ces quatre murs, on garde sa colère et on ne sait plus quoi en faire. Un jour, des détenus ont allumé un incendie dans la cour, j'ai pris la porte de mon armoire, et je l'ai balancée dans les flammes, par la fenêtre, je voulais participer au feu de joie : tant qu'à faire, comme ça je serai là pour quelque chose.

Les bagarres aussi – deux fois cette année – ça défoule, les coups de poing, les gifles, pour des broutilles. Et il y a cette petite voix qui vous dit que vous êtes en train de prendre de la mauvaise graine, de mal tourner. Alors, chaque fois, je reviens à la raison. Parce qu'on m'a bien élevé. Parce que je suis quelqu'un de gentil et que j'essaie de m'en souvenir.

Et quand je vais à Douai, je leur dis que, moi, je suis quelqu'un de bien et que je n'aurais jamais touché à un enfant. Douai, c'est là-bas qu'on passe, devant la chambre de l'instruction, pour demander à être remis en liberté. Ils vous regardent, ils ne disent rien. J'en ai fait, des trajets jusqu'à Douai... J'en ai écrit, des demandes, des dizaines et des dizaines. Chaque fois, avec le même espoir. Et le même désespoir quand je recevais la réponse en prison : « Refusée ».

Alors quand je vois Peggy au parloir, j'arrive les

nerfs à vif et avec une tête de fou, j'essaie de faire bonne figure, des fois j'y arrive. Mais des fois pas du tout. Je pleure et je lui dis : « Sors-moi de là, Peggy, je t'en prie, sors-moi de là... » Et quand elle s'en va, ça me déchire le cœur, c'est fini, « Parloir terminé ! », je rentre dans ma cellule, et elle, elle reprend la route pour aller à la maison... Ça serait si simple de repartir avec elle. Carrément...

Mais tout ça, je ne peux pas le dire à ma mère. C'est Noël. Alors je ferme l'enveloppe, et tout ce que j'espère, c'est que la lettre que je viens de lui écrire lui remontera le moral.

Nadine Legrand finissait par obtenir le permis de visite pour son fils. Elle ne l'avait pas vu depuis un an et deux mois.

Elle prenait le train depuis Boulogne-sur-Mer, descendait à la gare de Saint-Omer, puis marchait jusqu'à la prison de Longuenesse. Pendant une heure. Avec un pied convalescent à moitié amputé. Parce qu'il n'y avait pas de bus, ni assez d'argent à la maison pour prendre le taxi. Elle était en nage, parce qu'elle se dépêchait, parce qu'elle avait hâte.

Elle allait faire ce trajet pendant plus de un an. Chaque semaine. Lorsqu'il faisait trop chaud, elle emportait une bouteille d'eau et s'aspergeait le visage quand la tête lui tournait. Lorsque son pied la lançait trop, elle s'arrêtait un instant et faisait semblant de renouer ses lacets, pour ne pas attirer l'attention et la pitié des automobilistes.

Au premier parloir, inutile de dire l'émotion qui étreignait le fils et sa mère...

Chacun, aussi, taisait son inquiétude en découvrant

les changements que l'affaire avait provoqués chez l'autre. Nadine avait beaucoup maigri, quarante-sept kilos ; les insomnies et les antidépresseurs l'avaient terriblement marquée. Passant de l'enthousiasme à l'abattement d'un instant à l'autre, Daniel, qui pourtant n'était pas d'une nature nerveuse, parlait beaucoup. Énormément. Sans s'interrompre. Bien trop, donc, pour que cette hémorragie verbale soit tout à fait normale...

Nadine continuait également d'aller voir son mari à Fresnes. Même si ses visites étaient peu fréquentes, à cause du prix du voyage. Même si le père lui avait demandé de privilégier le fils, plus proche de Boulogne et, si c'était possible, plus à cran que lui. Quand elle allait voir son époux, Nadine restait deux jours sur Fresnes, hébergée par des religieuses, à qui elle confiait sa douleur et son histoire : « Je peux vous expliquer par cœur ce que mon mari faisait tous les jours ! Il revenait du travail, il passait par le garage, il retirait ses souliers, il mettait ses pantoufles, il buvait son café et lisait son journal ; après, je préparais à manger, et puis c'était l'heure des informations, il regardait, et ensuite on allait se coucher, parfois on regardait un petit peu le film. Et puis voilà. Quant aux week-ends, il bricolait. Alors quand on vous dit qu'il était chef d'un réseau de... je ne sais trop quoi ! » Les sœurs lui répondaient : « Mais pourquoi n'allez-vous pas raconter tout ça au juge, madame Legrand ? » Nadine rétorquait : « Mais il faudrait déjà qu'il commence par accepter de me recevoir ! Combien de lettres croyez-vous que Peggy et moi lui avons envoyées pour lui demander de nous convoquer ? »

Aucun de ces courriers n'avait reçu l'ombre d'une réponse.

Puisque la justice ne semblait pas vouloir l'écouter, Nadine avait même embauché un détective. Peut-être y avait-il un autre Daniel Legrand, caché quelque part, qui, lui, aurait pu se rendre à la Tour du Renard ? Le détective n'avait rien trouvé. Mais avait coûté cher.

Les parloirs n'étaient pas les seules occasions, pour Nadine, de voir l'un de ses deux Daniel. Elle attendait souvent au tribunal de Boulogne-sur-Mer, des heures parfois, si elle savait qu'ils y étaient convoqués. Elle avait même pu, grâce à des gendarmes compréhensifs, embrasser le fils, puis, un autre jour, le père. Un matin, elle avait vu passer une voiture de police devant le petit pavillon beige de Saint-Martin-Boulogne, elle était persuadée que son mari ou son fils était à l'intérieur, elle avait couru jusqu'au tribunal... pour découvrir qu'il ne s'agissait pas d'eux. Et lorsque ça n'allait pas bien du tout, elle voyait parfois la silhouette de son fils dans les rues : « Grégory, regarde ! Daniel est là-bas, il est en train de chercher après notre nouvel appartement ! » Grégory tentait de la raisonner : « Ce n'est pas lui, maman ! », avant de consoler la crise de larmes qui suivait. Et l'année 2003 s'achevait.

Et les Legrand passaient leur troisième Noël en prison.

Daniel Legrand PÈRE
774ᵉ jour de détention, Fresnes
30 décembre 2003

30 décembre 2003

Ma chère Nadine,

Je te souhaite une bonne année et une bonne santé, en espérant que l'année 2004 nous apportera un peu de bonheur, car de ce côté-là, nous ne sommes pas gâtés.

Aujourd'hui, je suis retourné à Douai, et tu vois le résultat est toujours le même, ils ne veulent rien savoir, ils répètent toujours la même chose, c'est toujours à charge. Ce que je dis ne les intéresse pas, d'ailleurs, je ne sais même pas si je vais encore me déplacer. Ils ne veulent pas reconnaître qu'il y a une erreur sur les personnes, il faut dire aussi que nous avons été salis dans les journaux. Pour eux, c'est dur de dire qu'ils se sont trompés. Enfin, on verra bien comment tout ça va se passer aux assises. Mais j'arrête de parler de tout ça.

Sinon, pour ton colis, merci beaucoup, c'était même de trop, j'espère que ce sera le dernier...

Tu as été voir Daniel, il a été content de vous voir et d'avoir son colis, il me l'a écrit aussi, ça va. Le pauvre gamin, tu sais, je pense tous les jours à lui, de le voir enfermé pour rien, tout comme moi... Depuis le temps, il aurait peut-être un travail, une copine, enfin une vie comme tout le monde. Quelle honte de voir ça. Enfin, il faut garder espoir, un jour ou l'autre, peut-être qu'ils découvriront la vérité.

Tu es allée manger chez Peggy, comme ça, tu n'as pas été toute seule le jour de Noël. Frédéric était chez son copain à Wimereux, c'est bien, ça lui a changé un peu les idées. Essaie d'avoir le permis pour Grégory, parce que ce n'est pas normal que ce soit aussi long. Enfin, je vais te laisser là pour aujourd'hui, en espérant te revoir bientôt.

Bisous à vous tous,

Papa l'innocent.

Daniel Legrand FILS
781e jour de détention, Longuenesse
6 janvier 2004

Lundi 6 janvier 2004

Bonjour Maman chérie,

Tu me manques beaucoup, Maman, ainsi que mes frères et sœurs et neveux et nièces. Je voudrais tellement vous serrer dans mes bras...

Je te souhaite une bonne année et surtout une bonne santé. Tu me manques beaucoup en ce début d'année, vivement que ce cauchemar s'arrête, ça commence vraiment à devenir de plus en plus révoltant de voir des erreurs aussi faciles. J'espère qu'ils se feront bien critiquer après ce cauchemar...

Maman, sinon, ne t'en fais pas, je vais parfaitement bien, et je m'occupe comme je peux ici, même si ma place est parmi vous. Mais Maman, ne t'en fais pas, je me battrai, il n'y a pas de raison, alors tu vois, je reste patient et courageux. Je suis un guerrier dans l'âme !

Et j'espère que le pauvre Papa est bien là où ils l'ont mis. La vie est tellement injuste de nos jours, mais j'espère que tout cela s'arrangera pour cette nouvelle année.

N'empêche, j'attends ce procès, j'attends mon heure, et j'espère que les aiguilles tourneront dans le bon sens.

Daniel

Le 4 mai 2004, à Saint-Omer dans le Pas-de-Calais, s'ouvrait le procès de l'affaire d'Outreau.

Daniel Legrand FILS
900e jour de détention, 1er jour de procès
4 mai 2004

C'est parti. C'est maintenant.

Ça fait des mois et des semaines que j'y pense, j'attends que ça depuis deux ans et demi : le procès, le procès, le procès. Plus la date approchait, moins je supportais la télé, la musique dans les cellules, les bavardages des détenus... J'avais une tête énorme, énorme, tout me tapait sur le système, le procès arrive, le procès arrive, il n'y avait plus que ça dans mes oreilles, alors je me suis dit : il faut que je sois au calme.

J'ai demandé à aller au mitard.

Le mitard, c'est pire que l'isolement. Sombre, noir, des grillages aux fenêtres sur plusieurs couches si bien qu'on ne voit pas dehors, une dalle en béton avec un matelas pourri, pas de télé.

Mais là au moins, pendant trois jours, j'ai pu me concentrer à fond. Préparer ma défense, écrire des questions, réfléchir, m'encourager moi-même, « T'es un combattant, t'es un combattant », gérer le stress. Rassembler mes forces. Il n'y a plus que ça qui compte : le procès.

Et ça y est : on est mardi 4 mai 2004. Enfin. Les gardiens viennent me chercher. On me fouille. On m'emmène vers l'extérieur. Ça va commencer.

Daniel Legrand PÈRE
900e jour de détention, 1er jour de procès
4 mai 2004

Pendant deux ans et demi, j'ai compté les mois. Et puis après les semaines. Et puis après les jours. C'est aujourd'hui. Je suis prêt. Ils m'ont transféré de Fresnes à la prison de Loos, je vais y rester le temps du procès, parce que c'est plus près du tribunal de Saint-Omer. Hier, je suis allé voir le médecin : « Docteur, donnez-moi un cachet pour me calmer. Sinon, là-bas, je vais exploser sur place, je vais avoir une crise de nerfs, je vais péter les plombs : c'est sûr. » Il me l'a donné. Je suis prêt.

Je monte dans le fourgon cellulaire, on roule en silence. À côté de moi, il y a une jeune blonde[1]. Et puis en face de nous, elle est là aussi, elle regarde par la fenêtre, mine de rien : Myriam Badaoui. La jeune blonde la fixe des yeux. Je crois qu'elle a la haine.

Moi, ce que j'éprouve pour cette femme-là... Je n'arrive même pas à le dire. Je ne sais qu'une chose : je

1. Sandrine Lavier.

vais me battre. Sinon, je perds ma famille, mon gosse, mon honneur, mon travail. Je perds tout... Alors je vais me battre, comme jamais je ne me suis battu.

Le reste, je m'en fous.

Daniel Legrand FILS
900e jour de détention, 1er jour de procès
4 mai 2004

Il y a déjà beaucoup d'autres personnes à l'intérieur du fourgon. Je reconnais Dominique Wiel et Pierre Martel. Je ne sais pas trop qui sont les autres. Personne ne parle, c'est tendu, lourd, pesant. Les CRS nous ont serré très fort les menottes, ça fait mal.

En silence, on sort de la prison de Longuenesse. Devant la grille, il y a des hommes avec des cagoules et des fusils : le GIGN. Je le savais déjà, mais de les voir comme ça, si nombreux, je réalise vraiment : mince, je suis dans une sacrée affaire...

Soudain, le gyrophare se met à hurler, on entre dans les rues de Saint-Omer. C'est de trop, cette sirène. J'ai honte : on va passer pour qui ? Tout ce bruit, ça me tape sur le système. Ça me tape sur le système.

Daniel Legrand PÈRE
900e jour de détention, 1er jour de procès
4 mai 2004

Quand on arrive au tribunal, il y a des gens partout. La foule. Dehors, dedans. Ils sont deux ou trois cents. Des regards haineux, des mines dégoûtées, des visages de curieux. Je passe la tête haute. Je ne me cache devant personne, je ne baisse pas les yeux. Je sais que je n'ai rien fait.

C'est ma force.

Daniel Legrand PÈRE
900e jour de détention, 1er jour de procès
4 mai 2004

J'entends : « Pa ! » Puis : « Daniel ! » Et je vois Nadine et Peggy dans la foule.

Peggy... Je regarde ma gamine, les larmes me viennent. J'essaie de ne pas la perdre de vue, mais il faut avancer, les autres accusés sont derrière moi, et le temps de me dire que je voudrais tant aller l'embrasser, déjà, je suis dans la salle d'audience.

Ils m'installent à côté de Daniel. Ça me fait chaud au cœur. Mon fils est avec moi, je suis à ses côtés. On est tous les deux. Ensemble.

Je l'ai revu il y a quelques jours. Ils nous avaient tous rassemblés à Douai pour la signature du procès, une formalité pour laquelle chaque accusé dans l'affaire était présent. J'ai tout de suite cherché mon garçon. Et nos regards se sont croisés : lui aussi me cherchait. On s'est dit bonjour, un petit signe de la tête. « Ça va ? Bon, ben... t'as vu, le procès arrive... » J'avais la gorge serrée, c'était mon gamin qui était là, sous mes yeux, après deux ans et demi, mais je ne pouvais pas le prendre dans mes bras : les menottes, les policiers, tout le reste... Et lui qui me répétait sans cesse : « Pa, ça va ? », « Ça va, pa ? », « Tu verras, ça va aller, pa », et moi, je répondais : « Oui, ça va, fils. Et toi, ça va ? »

On n'arrivait pas à se dire autre chose. Je crois qu'on était devenus timides. Timides l'un avec l'autre. Peut-être à cause de tout ce temps sans se voir... Je le regardais, c'était toujours mon Daniel, mais il avait quelque chose de changé.

Il n'était pas nerveux comme ça, avant.

Et aujourd'hui, on est là, tous les deux. Assis dans cette salle de tribunal au milieu de tout ce monde. On ne se parle pas. Le principal, c'est ça : on est l'un à côté de l'autre. Enfin réunis. Concentrés. Parce que, lui et moi, on sait ce qui va se jouer ici : notre vie. Et pour ça, je vais me battre.

Ce procès, c'est une guerre qui commence.

Le président du tribunal vient d'entrer. La porte de la salle d'audience se referme avec un grand bruit.

Deux mois plus tard, le 2 juillet 2004, à 2 heures du matin, après huit semaines de débats houleux et de rebondissements spectaculaires, quinze heures de délibérés, la cour d'assises de Saint-Omer rendait son verdict.

Daniel Legrand père avait gagné sa guerre.
Daniel Legrand fils avait perdu son match.

Daniel Legrand FILS
Juillet 2005

Ça fait un an. Un an, comme si c'était hier.

Je suis dans ma chambre. J'ai les yeux au plafond. La musique à fond dans les oreilles. Ça fait un an que le procès est terminé. Un an que j'y pense. Tout le temps. Myriam Badaoui. Le juge. Le verdict. Il fait chaud, c'est l'été, la fenêtre de ma chambre est grande ouverte, le nouvel appartement de mes parents est au dernier étage. Je monte le son, encore plus fort. Mais ça ne change rien, les images sont toujours là. Myriam Badaoui. La salle des assises. Le juge. Myriam Badaoui. Je suis habité par des flash-back, ils me reviennent sans cesse. C'est un film qui passe en boucle dans ma tête et je ne sais pas comment l'arrêter. Je voudrais, je ne peux pas. Je regarde la fenêtre. Se jeter dans le vide : ça aussi, c'est dans ma tête.

Le juge. Myriam Badaoui. Le verdict. Le verdict. Il y a un an.

Le verdict du procès de Saint-Omer avait laissé pantois.

Sur les treize personnes plaidant leur innocence, six étaient condamnées : Daniel Legrand fils, mais aussi Franck Lavier, Sandrine Lavier, Thierry Dausque, Alain Marécaux, Dominique Wiel.

Les autres étaient innocentées : Odile Marécaux, Karine Duchochois, Roselyne Godard, Pierre Martel, David Brunet, Christian Godard. Et Daniel Legrand père.

Thierry Delay prenait vingt ans, David Delplanque six, Aurélie Grenon, quatre.

Pendant quasiment deux mois, une seule personne avait attiré à elle toute l'attention, occultant les autres accusés présents avec elle dans le box : Myriam Badaoui.

Le procès l'avait placée sous les projecteurs et elle avait adoré ça. Il faut dire qu'elle prenait bien la lumière. Les avocats l'avaient surnommée « la reine

Myriam ». Elle avait infléchi le cours des débats au gré de ses humeurs, pleurant, boudant, minaudant, invectivant ses voisins. Coupant la parole, saisissant le micro : « Toi, t'y étais aussi ! Avoue donc, salaud ! » Se livrant avec complaisance, manquant de précision, se contredisant d'une minute à l'autre. Déclarant sans baisser les yeux avoir pris du plaisir à violer ses enfants.

Au fil du procès, on s'était rapidement interrogé : le juge avait donc accordé tant de crédit à cette femme-là ? Sur ses accusations, parfois invraisemblables, reposait donc l'essentiel de l'instruction ? Le doute avait commencé à planer. Diffus. De plus en plus épais, ensuite, lorsque Thierry Delay avait fini par lâcher : « Oui, j'ai violé mes enfants. Mais on n'était que quatre : moi, ma femme, Aurélie Grenon et David Delplanque. »

Premier coup de tonnerre.

Seconde déflagration : dès le lendemain, David Delplanque avait craqué à son tour et confirmé : les treize autres assis avec lui dans le box des accusés n'avaient jamais touché aux enfants. Pareil pour François Mourmand, couché dans son cercueil.

Le jeune homme avait expliqué qu'il s'était aligné sur les déclarations de Myriam Badaoui et d'Aurélie Grenon. Aurélie Grenon dont il était fou amoureux et qu'il aurait certainement suivie jusqu'en enfer. Plus prosaïquement, il pensait également prendre moins de peine en diluant sa responsabilité avec celle d'autres personnes.

Ces personnes dont le juge d'instruction lui avait donné les noms. Il lui avait suffi de dire : « Oui ».

Après les aveux de Thierry Delay et de David Delplanque, le doute s'était définitivement ancré dans les esprits : et si c'était vrai ? Et si tous ces gens étaient... non, cela paraissait tout de même à peine croyable.

Pourtant, avec stupeur, on avait ensuite découvert que Myriam Badaoui avait noué avec son juge d'instruction une relation particulière. Celle d'un « couple », avaient dénoncé certains. Relation dont on pouvait trouver la trace dans les nombreux courriers qu'elle avait adressés à Fabrice Burgaud tout au long de sa détention :

Mr le juge, je vous écris car ça ma fait tilte dans ma tête, vous m'avez dit que j'avais pas tout dit. J'ai tout dit. Pourquoi voulez-vous pas me croire ? Dois je mentir, dois je dire se que j'ai pas fait ?

Vous me demander des noms que je serais incapable de vous dire.

J'ai eu confiance en la justice mais vous promettez la sortie provisoire si on parle ; je vous ai dit tout mais je commence à en avoir mar.

Vous tenez pas votre parole non plus, car plus que je dis et plus que vous voulez que je mente.

On avait donc commencé à comprendre : Myriam Badaoui était persuadée que, en dénonçant à tout-va, elle sortirait de prison plus rapidement. Comme Aurélie Grenon. Cette dernière avait été libérée en août 2001 ; quinze jours plus tard, Myriam Badaoui livrait les noms de nouveaux « coupables », en rafales, au lance-flammes, à la mitraillette. Sur un mode quasiment hystérique. C'est alors qu'elle avait impliqué, entre mille autres, les Legrand.

Le problème est le suivant : franchement ou à demimot, implicitement ou explicitement, Fabrice Burgaud lui avait-il laissé croire qu'elle serait libérée en échange de sa coopération ? Il est aujourd'hui le seul à connaître la réponse à cette question.

Peu à peu, au fil des débats, on avait aussi pressenti que toute l'affaire avait au fond flatté cette femme. Lui donnant un rôle dans l'existence. Et même un premier rôle. Faisant d'elle, soudain, une personne importante : un juge avait eu besoin d'elle.

Ce juge qui la convoquait régulièrement. Qui lui demandait, si ce n'était son aval, tout au moins la confirmation de telle ou telle accusation livrée par ses enfants. Qui avait fait d'elle son accusatrice en chef. Qui la faisait parler avant tout le monde et la faisait asseoir en face de lui. Qui était plus aimable avec elle qu'avec l'ensemble des autres inculpés – c'est en tout cas le sentiment qu'avaient ces derniers.

Elle que l'on avait toujours ignorée, bafouée, peut-être même effectivement violée, car elle racontait avoir subi des sévices de la part de son père, de son premier mari et de Thierry Delay, alcoolique notoire. Elle qui n'avait jamais travaillé, pas su élever ses enfants puisqu'on les lui avait retirés. Elle qui se complaisait dans son statut de victime, ce qu'elle était peut-être, ou peut-être pas. Notons tout de même que l'un de ses enfants avait fini par dire que sa mère était, selon lui, l'instigatrice des viols. Quoi qu'il en soit, un juge l'avait sortie de ce qu'elle appelait elle-même « son néant ». Elle n'avait « jamais été aussi heureuse ». Il l'avait écoutée. Mieux : il l'avait crue.

En retour, elle lui avait donné ce qu'au fond il voulait entendre. Ou ce qu'elle croyait qu'il voulait entendre. L'un ou l'autre. Peut-être un peu des deux.

Millimètre par millimètre, accusation par accusation, viol par viol, c'est comme s'ils s'étaient entraînés l'un l'autre, sans le vouloir, sur une pente glissante, presque fascinante, mais qui était devenue, au fur et à mesure, et surtout pour le juge, impossible à remonter. Ne fût-ce que psychologiquement.

Myriam Badaoui avait tenté, lors du procès, de retrouver ce même rôle de premier plan, cette même justification de son existence, mais cette fois le public était moins complaisant. Et beaucoup plus nombreux que dans un cabinet d'instruction. Elle avait perdu peu à peu la main. Elle avait tenu bon, néanmoins : lorsque les avocats en robe noire s'étaient pressés autour d'elle, tentant de lui arracher un morceau de vérité, essayant à deux ou à trois de la pousser dans ses derniers retranchements avant de la livrer aux confrères, elle avait résisté et lâché : « Y sont en train de m'achever. Mais y vont pas y arriver ! »

C'est vrai : ces ténors du barreau, maîtres Dupont-Moretti, Berton, Lejeune, Lescène, Delarue père et fils etc. n'y étaient pas arrivés. Ses enfants allaient y parvenir.

Lorsque ces derniers étaient passés à la barre, ils s'étaient, autant qu'elle, empêtrés dans leurs contradictions, maintenant leurs déclarations, les infirmant ou en inventant de nouvelles. Ne reconnaissant aucun « Dany Legrand » dans le box des accusés. Dans la salle, le malaise était immense : leur parole avait quelque chose du délire. Ils ne mentaient pas, c'était bien pire : ils croyaient en leurs mensonges. Myriam Badaoui les avait écoutés, avait beaucoup pleuré, reçu leurs petits bisous envoyés depuis la barre et leurs déclarations d'amour : « Je voudrais dire à ma maman et mon papa que, même s'ils m'ont fait ça, je les aime encore. Je voulais pas que ça arrive. Je voulais seulement avoir une vie comme les autres, dans une famille normale. »

Myriam Badaoui était bouleversée. Le lendemain, elle avait pris le micro : « Pardon, je suis une malade. Tous ces gens sont innocents. » Elle avait expliqué qu'elle ne voulait pas que ses enfants passent pour des menteurs. Qu'elle les avait donc suivis. Qu'elle en avait rajouté. Que ce n'était pas difficile d'accuser des gens sur photographies quand on lui donnait les noms. Que le juge lui avait parlé d'un huissier, qu'elle avait cité tous ceux qu'elle connaissait jusqu'à ce qu'on lui dise : « Mais non, pas ces huissiers-là. Ça ne serait pas plutôt Alain Marécaux ? » Alors elle avait dit oui. Pour lui, comme pour tous les autres. Et puis, elle était jalouse de ce bonheur qu'elle n'avait jamais connu : comment regarder sans avoir mal ce taxi qu'elle savait être un mari exemplaire, cette boulangère assez généreuse pour lui faire crédit, ce prêtre qui l'avait tellement aidée, ces couples jeunes, beaux et amoureux... ? À tous, elle avait demandé pardon.

Auprès des Legrand, elle s'était excusée aussi. Notamment d'avoir gâché la jeunesse du fils qu'elle n'avait, comme le père, tout bonnement jamais vu de sa vie.

Ce moment d'émotion intense, sans doute de sincérité, n'avait pas duré. Six jours après son revirement, Myriam Badaoui clamait de nouveau : « Ils y étaient tous ! » Mais c'était trop tard, tous les regards étaient désormais braqués sur ceux qu'on venait de libérer : les treize qui clamaient leur innocence et dont la vie s'était fracassée sur des mensonges. Sur la fin, plus personne ne s'intéressait vraiment à elle, plus personne en tout cas ne la croyait. La reine était déjà sur le déclin.

Myriam Badaoui a été condamnée à quinze ans de détention. Elle n'a pas souhaité faire appel.

Daniel Legrand FILS
Juillet 2005

Myriam Badaoui. Le verdict. Il y a un an. Je revois son visage, sans cesse. J'entends ses mots vulgaires.

Ma mère tape à la porte de ma chambre. « Daniel, tu ne vas pas passer tout l'été enfermé ? » Je ne réponds pas. Je regarde la fenêtre ouverte. En prison, il y avait des filets entre les étages, pas ici. Myriam Badaoui. Se jeter par la fenêtre. Le verdict. Tout oublier. Pourquoi elle m'a fait tant de mal, sans même me connaître ?

Ah, mais c'était incroyable, incroyable ! Superbe ! Magique ! La liberté ! Quand je regarde trop la fenêtre, je me force, j'essaie de me rappeler ce moment-là, génial : la liberté !

C'était au cours du procès. Au début, on nous prenait pour des monstres. Mais au fur et à mesure, ils se sont bien aperçus qu'il y avait un problème. Que Myriam Badaoui mentait du début jusqu'à la fin. Tout ce qu'elle racontait, c'était vraiment n'importe quoi, comme d'habitude. Mais cette fois, on s'en rendait compte : les journaux, les télés, tous, ils commençaient à parler des « innocents d'Outreau » et ils se demandaient s'il n'y avait pas eu une énorme gaffe de faite au niveau de l'instruction. C'était dingue, dingue : enfin, on nous croyait, après toutes ces souffrances et ces cris d'innocence.

Alors, un jour, le procès n'était pas terminé, mais le président a décidé de nous faire libérer...

C'était l'après-midi. Le ciel était complètement bleu, exactement comme aujourd'hui. En sortant du tribunal, je suis monté dans le fourgon cellulaire, avec les autres accusés. On avait appris à se connaître pendant toutes ces semaines, on était fous de joie, fous de joie, on se félicitait, on se tapait sur l'épaule. Je suis arrivé à Longuenesse. Les détenus frappaient dans les portes, ils avaient déjà appris la nouvelle, ils nous criaient : « Bravo ! Bravo ! », et ça résonnait partout dans la prison. J'étais fier, fier ! Je suis rentré dans ma cellule, j'ai fait mon paquetage, et mon codétenu m'a serré dans ses bras... J'étais content, trop content. C'était superbe.

Je suis sorti, ça continuait de taper dans les portes, ils savaient enfin que j'avais dit la vérité, que j'étais innocent, que je n'étais pas une bête. Il y avait plein de détenus aux fenêtres, ils me lançaient : « Tu verrais, Daniel ! Tous les journalistes qui sont dehors sur le parking, ils vous attendent, tu verrais, c'est incroyable ! » Ils hallucinaient. Et moi, j'avais le cœur qui se serrait, qui se serrait très fort. C'était de la joie, immense, du bonheur.

Mais de la tristesse, aussi. Une tristesse bizarre.

Parce que, la prison, c'était devenu ma maison. Pendant deux ans et demi. Même si je la haïssais, j'y avais grandi. J'avais vingt ans quand j'y suis entré, mais c'est comme si j'y étais resté dix ans. Dix ans... J'y ai passé ma jeunesse, en fait. J'y ai laissé mes larmes. J'y ai enterré mes rêves de foot. D'ailleurs, aujourd'hui, je ne pleure plus. Et je n'ai plus envie d'aller sur les terrains. Elles ont séché là-bas, mes larmes : sur les murs, avec les crachats. Le foot, je n'ai plus ça dans ma tête, c'est aussi resté derrière les barreaux. Même le match contre Ribéry, même les coupes gagnées ou les félicitations de mon entraîneur, il y a tellement longtemps... « Bravo, bravo, bravo ! » : avec tous ces détenus qui m'applaudissaient, qui m'acceptaient enfin, j'avais envie de rester là, de rester avec eux, en prison. C'était devenu mon monde. J'étais triste de devoir tous les quitter. Je n'arrivais plus à me souvenir des belles choses qu'il pouvait y avoir dehors, à l'extérieur, dans la vraie vie. Je voulais rester avec eux. Je sais, c'est bizarre...

Dehors, maître Rangeon m'attendait. Il m'a fait monter dans sa voiture, on a traversé la foule des journalistes, j'ai fait le V de la victoire, j'ai regardé ces gens agglutinés autour de la voiture qui me faisaient des signes et qui étaient contents pour moi. J'ai tapoté sans cesse la main sur mon cœur, pour dire à tous que ça battait fort là-dedans. On roulait lentement, la prison s'est éloignée peu à peu. On est allés jusque chez Peggy. Je regardais le paysage, mais, cette fois, j'étais libre libre libre, c'était beau, c'était beau, vert, lumineux. Et à la maison, de revoir mes neveux et mes nièces qui avaient grandi et qui me sautaient dans les bras, mes sœurs, mes frères, ma mère... De toucher tous ces objets de la maison et du quotidien, ces petites choses dont on oublie l'existence en prison. De boire du café : du vrai café dans une vraie tasse...

Et puis mon père est arrivé. Lui sortait de Loos. On s'est serrés dans les bras, on s'est embrassés. J'étais heureux de le voir libre, sans menottes, sans escorte, tellement heureux pour lui ! Et puis il m'a dit : « Attention, Daniel, tu sais, c'est pas terminé... » Moi, je croyais que c'était fini.

Cinq semaines plus tard, c'était le verdict.

« Daniel Legrand père : Acquitté. »
« Daniel Legrand fils : Coupable. »

Coupable... Il était plus de 2 heures du matin. Mon père, ma mère et moi, on est sortis de la salle du tribunal. Coupable, trois ans avec sursis, dont deux ans fermes.

Puisque j'avais déjà fait deux ans et demi de détention, je ne suis pas retourné en prison. Mais ils ont remis les menottes à Franck Lavier et Dominique Wiel, parce qu'ils avaient pris six et sept ans. Le curé pleurait.

En retrouvant la rue, le cœur lourd comme de la pierre, je marchais devant, pour que mon père et ma mère soient un peu seuls, qu'ils respirent un peu, qu'ils goûtent la joie de l'acquittement, celui de mon père. Mais, même de loin, je voyais qu'ils n'étaient pas à la fête non plus.

Moi, j'étais déchiré, laminé, choqué. Je ne pleurais pas. Coupable... Ils m'ont fait payer mes mensonges :

mes faux aveux, le meurtre de la petite fille. J'ai honte. Pourquoi j'ai fait ça ? En même temps, si je n'avais rien fait, si j'avais attendu, je serais peut-être encore en prison. Personne ne le saurait, que je suis innocent, ah oui, j'en suis sûr de ça : personne. Dans le ciel bleu, par la fenêtre, je la vois, la petite fille morte. J'y pense, j'y pense, quelle honte, qu'est-ce que j'ai fait là ? Tout ça se cogne dans mon cerveau, je regarde le plafond. Il y a du bruit dans ma tête, comme quelqu'un qui me chuchoterait des choses, des tas de choses à l'oreille, alors je monte encore le son de la musique. Je pense à ma mère, je viens de l'envoyer balader, je lui ai dit des mots méchants, j'en ai assez qu'elle vienne frapper à ma porte, ça me tape sur le système : « Mais enfin, Daniel, après trente mois de prison, essaie quand même de sortir un peu... »

Depuis un an, ils me disent tous ça. « Sors un peu », « Change-toi les idées », « T'es plus dans ta cellule, Daniel »... La fenêtre est ouverte, il n'y a pas de nuages. Et pas de barreaux. Mais il y a les petites voix dans ma tête. Je vois des couteaux aussi, de temps en temps, ils apparaissent tout seuls, je ne sais pas quoi en faire. Et ce plafond qui me parle, qui n'arrête pas de me parler et qui rigole tout seul en me regardant. Je suis toujours en prison. Puisque je suis coupable coupable coupable coupable.

Daniel Legrand PÈRE
Juillet 2005

Le gamin, il brûle dans sa tête.

Il attend le procès en appel, dans quelques semaines maintenant. Pendant ce temps-là, il brûle dans sa tête.

On l'a emmené chez un psychiatre. C'est pas bon. Ils lui ont donné des tas de médicaments.

Alors quand je vois Peggy diluer en cachette toutes ces gouttes dans le café de mon gamin parce qu'il ne veut pas les prendre et qu'il se méfie de tout et de tout le monde ; quand j'entends Nadine me raconter qu'il pleure dans la voiture en pensant qu'il y a des espions dans les rues qui veulent l'arrêter ; quand je le vois se prendre la tête entre les genoux et crier en sanglotant : « J'ai jamais rien fait de mal de ma vie, pourquoi on veut se débarrasser de moi ? » ; quand je vois ça, tous les jours, je pense à l'affaire. Tous les jours.

Je ne suis qu'à moitié acquitté.

On avait attendu toute la journée, enfermés dans une pièce avec quarante CRS. C'était long, c'était long. Et puis le verdict. « Acquitté. » Maître Julien Delarue, mon nouvel avocat, m'a regardé, on avait bien fonctionné ensemble, il s'est levé d'un coup, on s'est embrassés. On était aussi contents l'un que l'autre. Et puis j'ai entendu : « Daniel Legrand fils. Coupable. »

Là ça a fait mal. Je suis retombé de haut. Je n'étais plus vraiment acquitté, puisque mon gosse ne l'était pas.

Je suis juste à moitié acquitté.

Après le procès, je me suis reposé un mois : Nadine m'a forcé. Moi, je voulais repartir tout de suite à l'usine, parce qu'il n'y avait plus d'argent à la maison, on vivait seulement avec le RMI de ma femme. J'ai récupéré et je suis allé voir mon patron. Il m'a dit : « Ça va ? » J'ai répondu : « Ouais, ça va. Enfin, ça va mieux, quoi... » Après, il m'a proposé : « Bon, ben tu passeras voir Karine à son bureau. » Et Karine m'a dit : « Vous voulez combien pour vous dépanner, monsieur Legrand ? » J'ai dit ce que je pensais : « Moi, je ne veux rien. Je veux juste reprendre le travail. »

Et j'ai repris le travail.

En prison, les gars me disaient : « Après le procès, quand tu vas sortir, tu vas te barrer, tu vas quitter ta région ? » Ça ne risque pas. Je suis un innocent, je n'ai pas à me carapater, c'est tout. Ma vie, elle est ici, à Wimereux, et pas ailleurs. Je reste là, moi. Si je me sens bien dans ce coin, c'est qu'il y a une raison.

Enfin, ici ou ailleurs, il a fallu se réhabituer à la vie, quand même. Au début, je passais mes journées à marcher de long en large, comme dans ma cellule. Aujourd'hui encore, je me lève la nuit, je fais le tour du lit, dans un sens, dans l'autre, dans un sens, puis dans l'autre. Ça empêche ma femme de dormir, alors je me recouche. Puis au bout d'une demi-heure, je me relève. Comme ce soir.

Nadine vient de s'endormir. Moi, je marche, je marche. Et je me refais tout le film dans la tête.

C'était moi, le chef du réseau. J'étais censé être toujours avec mon gosse, censé le diriger, lui dire de faire ceci ou cela. Or, ils m'acquittent. Mais ils gardent le gamin.

Bon sang, c'est quoi la logique, dans tout ça ?

Certains journaux, à l'énoncé du verdict, avaient parlé de « la plus grande loterie judiciaire de France ».

Globalement, les jurés avaient suivi les réquisitions de l'avocat général. Lequel n'était autre que Gérald Lesigne. Celui-là même qui, en tant que procureur de la République de Boulogne-sur-Mer, avait suivi toute l'instruction et qui, à aucun moment, n'avait indiqué à Fabrice Burgaud qu'il faisait fausse route. Il s'était même engouffré à la suite du jeune juge dans la piste du réseau pédophile et du meurtre de la fillette. Au procès, alors que le bateau prenait l'eau de toutes parts, l'avocat général s'était donc retrouvé dans une situation inconfortable : défendre ou ne pas défendre son travail de procureur ?

Assumer ou faire marche arrière ?

Pour se sortir de cette impasse, il s'était livré à des contorsions arithmétiques et intellectuelles qui lui avaient permis de préserver les apparences. De sauver le *Titanic* tout en envoyant quelques canots de sauvetage pour calmer l'opinion publique. Lors de son réquisitoire, il avait abandonné les charges contre sept des accusés ; mais il avait requis des peines surprenantes pour les six restants.

Selon lui, par exemple, l'abbé Wiel aurait bel et bien violé des enfants, « furtivement » dans un jardin, le concept du « viol furtif » étant pour le moins insolite mais ayant l'avantage de cacher la misère : ledit jardin était placé sous les nombreuses fenêtres d'un immeuble très fréquenté ; aucune haie, aucun abri ne permettait d'y trouver un peu d'intimité, on voyait donc difficilement comment le prêtre aurait pu y assouvir ses vices présumés, à moins peut-être que, furtivement... Gérald Lesigne avait donc requis quatre ans de prison contre Dominique Wiel, ce qui n'était pas cher payé, voire totalement scandaleux pour des viols d'enfants, même « furtifs ».

En revanche, il avait demandé six ans à l'encontre de Franck Lavier pour des faits moins graves que ceux dont il avait accusé le prêtre.

Quant au fils Legrand, il méritait deux ans car il était « très informé de ce qui se passait à la Tour du Renard », mais on n'avait pas très bien compris d'où l'avocat général tirait lui-même cette information. Ni pourquoi il avait, d'un autre côté, blanchi le père, chef d'un réseau dont il ne niait pourtant pas l'existence.

Le réseau ?

Très curieusement, le commissaire du SRPJ de Lille responsable des investigations sur cette affaire, et donc chargé de se prononcer sur ce fameux réseau, n'avait pas été convié à témoigner au procès de Saint-Omer, fait rarissime pour un directeur d'enquête. Lui-même s'en était étonné et ouvert à Gérald Lesigne. Il faut dire que le policier avait rendu au juge Burgaud un rapport qui aurait pu faire très mauvaise impression sur les jurés de la cour d'assises : il y exprimait bien plus de doutes que de certitudes. Notamment en ce qui concernait la piste belge : « Toutes les recherches entreprises ne permirent pas de confirmer cette hypothèse, ni d'envisager l'existence d'un réseau international structuré. Il semblerait que la réalité était beaucoup plus simple et beaucoup plus sordide. »

L'enquêteur, perplexe, n'avait pas réussi à trouver une conclusion claire pour son rapport. C'est si peu commun que, en juillet 2002, il avait donné à Fabrice Burgaud la disquette de ce document avant de le lui remettre officiellement : « Dites-moi ce que vous en pensez. »

Le juge d'instruction n'avait jamais donné de réponse.

On n'avait pas estimé opportun de faire venir ce commissaire à la barre des témoins. Et même si on l'avait fait, on n'aurait pas pu l'interroger sur un autre point crucial : le meurtre de la fillette.

Car Fabrice Burgaud avait décidé, en avril 2002, de disjoindre cet épisode de l'ensemble de l'affaire. Autrement dit, celui-ci faisait désormais l'objet d'une procédure à part. Impossible par conséquent de l'évoquer aux assises : l'enquête était toujours en cours. Dommage. Car, puisqu'on n'avait pas retrouvé de fillette, ce meurtre hypothétique était totalement à décharge pour les accusés. Élément à décharge que les avocats ne pouvaient malheureusement pas brandir pour défendre leurs clients du fait que... l'enquête était toujours en cours. En d'autres termes, on avait mis à l'écart une partie du dossier qui aurait pu faire s'écrouler un pan entier de l'accusation. « Une pratique de bandits, dénoncera plus tard un avocat, et je pèse mes mots... »

Sans oublier que Daniel Legrand fils s'évertuait à dire, depuis deux ans, qu'il avait inventé cette affaire de toutes pièces...

Si le directeur d'enquête du SRPJ de Lille n'avait pas été invité à témoigner au procès, en revanche le juge d'instruction, si. Fait inhabituel également.

Fabrice Burgaud était arrivé le matin, protégé par un service d'ordre disproportionné : quartier bouclé, dispositif policier triplé, service de protection des hautes personnalités, CRS...

Devant ces treize accusés dont il avait bouleversé la vie, il s'était présenté comme un « technicien du droit », assurant qu'il avait gardé un œil critique sur les dépositions des enfants comme sur celles des adultes, qu'il s'était appuyé sur des expertises psychologiques et psychiatriques, des enquêtes policières ; qu'il avait pris une feuille blanche, tracé deux colonnes, une pour les éléments à charge, l'autre pour les éléments à décharge... même si l'on cherche encore les éléments à charge.

Surtout, Fabrice Burgaud n'avait présenté aucune excuse.

Avocats et magistrats s'étaient heurtés à un mur de réponses toutes faites, académiques, scolaires, sans aspérités. Presque sans âme, avait-on eu envie de penser. Lorsque le juge était reparti, entouré de ses gardes du corps crispés sur leur oreillette et leur crosse de pistolet, les treize accusés qui ne l'avaient pas quitté du regard pendant sa déposition étaient restés sur leur faim : ils n'avaient toujours pas compris. Les questions restaient nombreuses.

Pourquoi le juge les avait-il systématiquement soumis à des confrontations collectives ?

Pourquoi, en revanche, n'avait-il jamais organisé de confrontations avec les enfants accusateurs ? Il est vrai que Fabrice Burgaud avait posé la question aux psychologues chargés d'expertiser les petits ; il s'était inquiété auprès de ces spécialistes : « Une audition par le magistrat instructeur ou une confrontation avec le mis en examen serait-elle de nature à accroître le traumatisme de l'enfant ? » Les experts avaient répondu : « Oui ».

Paul Bensussan, psychiatre, critiquera plus tard cette formulation devant la commission d'enquête parlementaire chargée d'étudier les dysfonctionnements dans l'affaire d'Outreau : d'après lui, « un juge neutre demandera à l'expert : l'état de l'enfant est-il compatible avec une confrontation ? Un magistrat très désireux qu'une confrontation ait lieu demandera : y a-t-il une contre-indication absolue à une confrontation ? Mais un juge qui ne veut surtout pas faire de confrontation demandera : la confrontation est-elle de nature à réactiver l'anxiété de l'enfant ? Et dans ce cas, chacun comprend le message subliminal, la réponse est "oui". Et il n'y a pas de confrontation. Pourtant, c'est un acte utile à la manifestation de la vérité. Elle peut être éprouvante mais j'ai vu de nombreux enfants en ressortir renforcés, et de nombreux auteurs craquer face à leur victime. »

Pourquoi, également, le juge avait-il fait fabriquer des albums photo qui présentaient uniquement des clichés de personnes mises en cause, et de personnes mises en cause uniquement ? Des hommes et des femmes totalement étrangers à l'affaire doivent y être inclus, c'est la coutume ; mais cela n'avait pas toujours été fait. Ces albums, de par leur nature « orientée », avaient certainement aidé adultes et enfants à porter des accusations en apparence cohérentes : en quelque sorte, on tirait toujours un bon numéro.

Exemple, extrême, de Daniel Legrand père : Myriam Badaoui l'avait reconnu sur photographie, certes. Mais ça n'avait pas été très compliqué : le juge ne lui avait présenté qu'un seul et unique cliché, alors qu'il évoquait précisément avec elle... le cas de Daniel Legrand père.

Pourquoi, encore, le juge avait-il semblé si acharné à croire en la culpabilité des mis en examen, au risque de tordre un peu le cou, parfois, aux déclarations de Myriam Badaoui ?

Exemple : le kyste de Daniel Legrand père. Il présentait cette anomalie à l'oreille jusqu'en octobre 1998. Or, il était accusé d'avoir participé aux faits de fin 1996 à 2000. Et personne n'avait jamais signalé ce kyste. Incohérence gênante que le juge, en toute fin d'instruction, avait purement et simplement effacée, gommée du dossier.

En effet, en juin 2002, il avait interrogé une dernière fois Myriam Badaoui et réglé avec elle cette question :

« Saviez-vous pour quelle raison Daniel Legrand père n'est pas venu chez vous de 1997 à la fin 1998 ? »

Étonnant : Myriam Badaoui n'avait jamais dit cela, elle avait toujours évoqué les années 1996 à 2000. Mais il est vrai que, par rapport au kyste, cette nouvelle périodicité des faits améliorait bien les affaires... »

Réponse : « Honnêtement, non. »

« Saviez-vous que c'était pour des problèmes de santé, en particulier un kyste à l'oreille ? »

Le juge lui livrait donc sur un plateau une explication toute faite, à laquelle elle n'aurait pas songé puisqu'elle ne connaissait pas l'existence de ce kyste. Soudain, l'incohérence n'en était plus une.

Réponse : « Non je ne savais pas. » Maintenant, elle savait...

Pourquoi, aussi, le juge avait-il ignoré les nombreuses contradictions qui truffaient les déclarations des uns et des autres ? Pourquoi s'était-il laissé aller à des questions répétitives et inductrices (« Êtes-vous bien certain que Daniel Legrand père et fils n'ont pas participé aux faits de viols ? ») ou à des questions ne se fondant sur aucun élément du dossier ?

Et y avait-il eu, lors de ses interrogatoires, des questions dissimulées ?

En effet, le 27 août 2001, le juge Burgaud avait interrogé Myriam Badaoui. Sa première question était la suivante : « Vous avez écrit le 28 mai 2001 que les enfants allaient en Belgique et que, là-bas, ils devaient retrouver d'autres enfants et d'autres adultes. À quel endroit en Belgique vos enfants se rendaient-ils ? »

Myriam Badaoui répondait pendant trente-trois lignes de procès-verbal, sans qu'aucune question du juge ne semble l'interrompre. À la vingtième ligne, elle précisait : « Le propriétaire [de la ferme] s'appelle bien Daniel Legrand. »

Le propriétaire de la ferme s'appelait bien Daniel Legrand...

Ce « bien » pose problème : et si le juge avait tout simplement donné le nom de Daniel Legrand ? Et s'il avait préalablement demandé à Myriam Badaoui, sans que cette question apparaisse dans le procès-verbal : « Le propriétaire de la ferme s'appelle-t-il Daniel Legrand ? »

Auquel cas elle aurait répondu, dans le flot de ses accusations : « Le propriétaire s'appelle bien Daniel Legrand. »

Fabrice Burgaud nie avoir jamais posé cette question. Le mystère reste donc entier. Pas tant en ce qui concerne l'apparition surréaliste des Legrand dans l'affaire d'Outreau car, finalement, on n'est plus vraiment à une aberration près. Non, le mystère reste entier sur ce qui, au fond, a pu véritablement animer le juge Fabrice Burgaud tout au long de cette instruction...

Mais il serait injuste, sans aucun doute, de lui faire porter tout le poids de ce fiasco judiciaire. Procureur de la République, juges des libertés et de la détention, juges des enfants, président et membres de la chambre de l'instruction de la cour d'appel de Douai... soixante-quatre magistrats ont été impliqués dans ce dossier.

Aucun d'entre eux n'a jamais tiré la sonnette d'alarme.

Daniel Legrand PÈRE
7 novembre 2005

Il a voulu donner l'alarme. Il était 9 h 50. Il regardait l'horloge, il a cru que l'aiguille était restée bloquée. Il a crié : « Maman, maman, sors, sors, ça va exploser ! » Il est parti en courant dans la rue, il a frappé aux portes des voisins : « Sortez, sortez, ça va exploser ! » Il pleurait, il criait qu'il voulait sauver les gens, qu'il ne voulait pas qu'ils souffrent.

Il était 9 h 50. Il a cru qu'on était le 11 septembre 2001. À l'époque, je me souviens, il avait été très ému par ce qui s'était passé là-bas. Alors dans sa tête, tout d'un coup, ça s'est mélangé ; le 11 septembre ou le 14 novembre 2001, jour de notre arrestation, pour lui, c'était pareil : ça avait explosé. Des gens avaient eu mal. Et parce que c'est Daniel, parce que c'est le plus gentil des gosses, il a voulu sauver les voisins...

Aujourd'hui, c'est le premier jour de son procès en appel. Il est parti à Paris avec Nadine. Moi, je suis resté à Wimereux : il faut continuer à travailler.

Le gamin va mieux. Les médicaments l'ont bien aidé et parler à un psy aussi. Plus le procès approchait, mieux ça allait. Maintenant, il faut attendre le verdict.

Ça va être long. Je suis sur un chantier, à Boulogne. J'ai hâte de rentrer à la maison, d'allumer la télé, de savoir ce qui se passe, de recevoir le coup de fil de Nadine, elle a promis d'appeler tous les soirs. Daniel est défendu par maître Julien Delarue, celui qui s'est occupé de moi pendant le premier procès. Alors je suis confiant.

Mais j'ai peur quand même : est-ce qu'ils seront moins pourris là-bas qu'à Saint-Omer, ça, je ne sais pas.

Daniel Legrand FILS
7 novembre 2005

Mon acquittement, je le dois à mes parents, à mon éducation. Ça serait un beau cadeau pour eux d'aller le chercher, cet acquittement. C'est ça que je voudrais leur ramener de Paris.

L'ambiance du procès à Paris était plus sereine qu'à Saint-Omer.

Daniel Legrand fils, Thierry Dausque, Dominique Wiel, Franck Lavier, Sandrine Lavier et Alain Marécaux comparaissaient libres.

Myriam Badaoui avait changé. Elle n'avait pas fait appel, mais le 18 novembre 2005, elle venait témoigner à la barre. Face aux accusés, elle renouvelait ses rétractations : « Il m'est passé une folie par la tête, je voudrais leur dire pardon, j'ai menti. » On ne l'avait jamais connue aussi sobre. Dans un dernier élan, elle avait tout de même rajouté : « Comment je les aurais sus, ces noms, si le juge me les avait pas donnés ? C'est ça que je suis venue dire aujourd'hui : c'est facile de mettre tout sur mon dos... » Elle était alors partie dans un long sanglot. Puis était retournée derrière les barreaux.

Le procès de Saint-Omer avait permis de sortir peu à peu, même tant bien que mal, du délire collectif et de la contagion psychique qui avaient paralysé toute l'instruction. Les débats du procès en appel allaient donc pouvoir s'intéresser plus en profondeur aux tenants et aux aboutissants de l'affaire. Un point, particulièrement, allait être analysé et décortiqué par les avocats de la défense.

Le problème des enfants.

Ils étaient dix-huit à s'être portés partie civile à Saint-Omer. Il n'en restait plus que neuf à Paris. Les enfants Delay en tête, ils avaient été à l'origine de nombreuses dénonciations. Que s'était-il passé ?

Maître Hubert Delarue, avocat d'Alain Marécaux, dénonçait alors la « tatas connection ».

Les petits Delay avaient tous été placés chez des assistantes maternelles différentes, les « tatas ». Vladimir, le premier, s'était confié à la sienne, puis ses frères avaient fait de même. À ces femmes en qui ils avaient toute confiance, ils avaient dénoncé leurs parents, puis d'autres adultes. Mais comment leur parole avait-elle été recueillie ?

Les enfants parlaient, les tatas écoutaient et prenaient des notes. Effrayées, scandalisées. En totale empathie avec ces petits qu'elles avaient appris à aimer, qu'elles avaient pour mission de protéger. Alors, en toute bonne foi, dotées de la meilleure volonté du monde, elles les avaient un peu aidés à accoucher de cette parole qu'elles imaginaient si difficile à assumer.

Nolan, par exemple, avait parlé d'un docteur. Tata avait levé le sourcil : « Que faisait-il ? » L'enfant avait répondu : « Ben, il me soignait... » Alors elle avait insisté, posé des questions, pas trop mais un peu quand même, gentiment toujours. Nolan aimait beaucoup sa tata. Dans le contexte de dénonciation qui régnait depuis l'arrestation de ses parents, le petit garçon avait fini par céder : « Il mettait ses doigts dans mon derrière puis dans ma bouche, maman filmait. »

Vladimir, lui, avait dressé seul la liste de ses tortionnaires et dénoncé notamment « madame marico je ses pas son prénon ». C'était tout de même un peu vague. Or, les policiers sont des gens sérieux, il leur faut des faits et de la précision. Alors la tata de Vladimir avait doucement cuisiné le petit garçon, elle s'était renseignée de son côté, puis avait communiqué l'information aux services sociaux dont elle dépendait, information qui tout à coup était devenue : « Vladimir parle aussi d'un couple de Samer, M. et Mme Marécaux, madame s'appellerait Odile. Ils ont une maison à Wirwignes mais monsieur serait huissier et son cabinet serait à Samer. » Vladimir avait juste sept ans, il n'avait pas pu donner de lui-même tous ces détails. Sa tata, elle, connaissait bien les Marécaux : leurs enfants étaient dans la même école que son protégé...

Par ailleurs, toutes ces tatas étaient en relation les unes avec les autres. Les tatas des Delay, les tatas d'autres enfants dont les parents avaient été incarcérés dans cette affaire. Quand les informations livrées par les petits n'étaient pas tout à fait claires, elles se téléphonaient les unes les autres : « Le mien, il a dit ça. Et le tien ? », rassemblant ainsi leurs renseignements, les recoupant, coordonnant les questions qu'elles posaient aux enfants. Opérant ainsi une terrifiante synthèse dans laquelle se perdait pour toujours l'authenticité de la parole de ceux-là mêmes qu'elles souhaitaient aider.

Les tatas avaient donc mené l'enquête… Ce, dans les règles de l'art. Une de ces assistantes maternelles s'en était vantée auprès des enquêteurs : « J'ai toujours cru Vladimir, mais avec prudence. Plusieurs fois, j'ai tenté de lui tendre des pièges pour voir s'il mentait, mais il n'a jamais failli. Une fois, mon fils lui a dit que, s'il disait qu'il avait menti, il aurait deux desserts. Mais Vladimir a persisté. »

La stratégie de la crème brûlée : une méthode imparable.

En outre, lorsque les tatas envoyaient leurs comptes rendus aux services sociaux, ces derniers menaient également des recherches car les informations de ces assistantes maternelles n'étaient pas toujours assez précises, or les policiers sont des gens sérieux, etc. C'est ainsi qu'avait pu être identifié l'abbé Wiel.

Au fur et à mesure de l'instruction, les dénonciations des enfants s'enrichissaient donc perpétuellement, en qualité et en quantité. Le nombre des petits accusateurs lui-même gonflait à vue d'œil. Dans les cours de récréation, une sorte de surexcitation avait gagné les écoliers : il y avait les fils Delay, mais aussi les enfants dont les parents avaient été arrêtés et dont on leur disait qu'ils avaient fait des choses terribles, les voisins, les copains, les copines… Vladimir avait même été promu chef de file, il recueillait les informations de ses camarades : « Les deux jumeaux, ils sont venus à la cantine me trouver, ils m'ont demandé si je voulais les écouter. Ils m'ont expliqué qu'il y avait eu des manières sur eux. »

Toutes ces victimes présumées étaient convoquées en

même temps au commissariat de police pour y livrer leurs déclarations, ce qui leur permettait d'échanger ces histoires, de se les raconter à l'infini jusqu'à y croire dur comme fer. Dans la salle d'attente, ils en profitaient aussi pour trouver un nouveau violeur, une nouvelle violeuse. Une tata avait envoyé une note : au commissariat, son petit avait montré du doigt « un grand monsieur grisonnant, dégarni sur le devant avec des lunettes, à l'aise dans la maison, semblant connaître les lieux ». Un policier qui avait eu la mauvaise idée de sortir de son bureau à ce moment-là...

Le rôle des tatas et des services sociaux avait été indéniable. Précisons tout de même que le métier de ces assistantes maternelles était d'aimer et qu'elles n'avaient pas eu l'intention de mal faire. En ce qui concerne la recherche de la vérité, les juges, les magistrats, les policiers, les experts, étaient censés être là pour ça. Et ils avaient failli. Emportés par leurs émotions, aveuglés par elles. Un peu comme les tatas, finalement. Les psychologues, eux aussi malheureusement, n'y avaient vu que du feu, ayant jugé les petits Delay « crédibles ».

Dans la rue, au supermarché, à la sortie de l'école, dans les cafés, sur la place d'Outreau, au parc du Portel, à la fête de la Fraise, Vladimir avait dénoncé, de manière « crédible », plus d'une soixantaine de personnes. Enfant martyr qui, comme ses frères, avait bel et bien subi des viols de la part de ses parents, d'Aurélie Grenon, de David Delplanque. À lui aussi, il lui était passé « une folie par la tête », mais qui aujourd'hui pourrait lui en vouloir, à lui ou à ses frères... ?

Sous la phrase « madame marico je ses pas son prénon » écrite soigneusement avec son feutre, il avait dénoncé un autre violeur : « un grand que je coné pas ».

Que s'était-il dit alors entre Vladimir et son assistante maternelle ? Quelles questions avaient été posées ? Quelles réponses avaient été données ? Mystère. Toujours est-il que l'assistante maternelle avait inscrit, à côté du fameux « grand que je coné pas », une précision qui allait sceller le destin de deux hommes.

Elle avait noté : « Dany legrand qui habite en Belgique. »

Le mot « legrand », noté en lettres minuscules. Sans que l'on puisse savoir s'il s'agissait du patronyme... ou bien de l'adjectif.

« Un grand que je coné pas ». Puis, *via* une Tata, un « Dany legrand qui habite en Belgique ». Puis, *via* quelques policiers, un Daniel Legrand repéré pour un chèque en Belgique. Puis, *via* ces mêmes policiers, un second Daniel Legrand qui se trouvait être le père du premier. Puis, une femme qui confirmait la culpabilité des deux, *via* un juge d'instruction qui lui avait peut-être livré leurs noms.

Ainsi entraient Daniel Legrand fils et Daniel Legrand père dans l'affaire d'Outreau...

Daniel Legrand PÈRE
1er décembre 2005

Il est sur les marches du tribunal, avec les cinq autres. Il y a des flashs qui crépitent de partout. Il a les yeux qui brillent, mon Daniel. Il sourit et j'ai le cœur qui bat fort. Il y a si longtemps que je ne l'ai pas vu comme ça.

Il est acquitté. Tous les autres aussi.

On a sauté de joie. On n'en pouvait plus tellement on était heureux. Je suis avec Peggy, à Wimereux. On est devant la télé, la radio est allumée aussi, comme tous les jours depuis le début du procès. On ne se lasse pas, on regarde toutes ces images. Tout ce bonheur. On l'attendait depuis si longtemps. Depuis le jour de notre arrestation.

Ça fait quatre ans... C'est à peine croyable : voilà, c'est terminé... C'est fini. Mon fils est acquitté. Donc moi aussi. Enfin.

Maintenant, il faut qu'il reprenne le départ de sa vie.

Daniel Legrand FILS

L'air de la mer me fouette le visage. Je sens que mes joues sont en feu. Il n'y a personne sur la plage, la marée est basse. Je regarde les dunes, un peu plus haut. Je cours. Ça fait tellement longtemps que je n'ai pas couru : depuis quinze jours, je recommence à faire du sport.

Et à la fin du mois, ça y est : j'ai décidé de reprendre l'entraînement de foot. J'ai envie. C'est la première fois que j'ai envie à nouveau.

Après l'acquittement, il y a eu des hauts et surtout des bas. Au début, c'était l'euphorie. Et puis après, j'ai eu à nouveau des hallucinations, mais cette fois, elles ne partaient plus. C'était terrible, terrible, ça faisait peur. J'étais méconnaissable, je n'étais plus moi-même, on aurait dit un animal en cage. Finalement, ils y avaient réussi, à faire de moi une bête... J'aurais fait n'importe quoi pour retrouver un peu de bien-être, oublier. Alors j'ai pris de l'héroïne. C'est malheureux à dire, mais j'avais l'impression que ça m'aidait à me sentir mieux, à avoir plus confiance en moi. Je suis allé en acheter à Anvers. J'aurais mieux fait de me casser une jambe ce jour-là. De toute façon, je me suis fait prendre. Tant mieux. Mais là, encore une fois, ç'a été la honte. La honte par rapport à mes parents : je m'en voulais tellement de leur faire à nouveau du mal. Je n'ai pas assuré. Je me sentais dégoûté de moi-même.

Je ne le ferai plus jamais. C'est tout ce que j'espère : ne plus jamais toucher à ça.

Après la drogue, j'ai continué à déprimer, à ne plus avoir d'envies, à imaginer qu'on m'en voulait. On m'a hospitalisé, je suis resté dix jours en psychiatrie. En sortant, j'étais abruti de médicaments.

Petit à petit, j'ai remonté la pente. J'ai une petite amie, Cathy. On s'est installés dans une maison, à Wimille. J'essaie de reconstruire ma vie, brique par brique. Parfois j'ai du mal, mais je m'accroche. Je ne travaille pas, à cause des médicaments qui me fatiguent trop. J'aurais voulu, c'est dommage, ça me fait mal au cœur : mon père, il est courageux, j'aurais bien voulu prendre la relève. Peut-être plus tard. Quand ça ira vraiment mieux.

Avec mon père, on n'en parle pas tellement, de l'affaire d'Outreau. On ne veut pas trop remuer le passé. Pourtant, il n'y a pas un jour où je n'y pense pas. Et je suis sûr que pour lui, c'est pareil. Mais il n'y a pas que du négatif : ça m'a appris des choses sur la vie. Sur les gens. Et puis sur moi.

Avant, j'étais timide, peureux. Jamais je ne me serais cru capable de passer par toutes ces épreuves, de me battre comme ça, à ma façon. Ce que je ressens en moi, c'est un mélange de fierté et de honte. J'y suis quand même arrivé. Même si je regrette tellement d'avoir menti.

J'ai appris aussi que j'avais la plus belle des familles que je pouvais rêver d'avoir. On s'en est sortis parce qu'on est unis. Dans toute cette boue, cette vulgarité, ces choses monstrueuses, ma famille, c'était comme une pépite d'or. Grâce à Outreau, je sais ça : je suis riche !

J'accélère. Je veux être en forme pour reprendre le foot. Je sens que mon corps m'obéit. Je ne sais pas si je reviendrai au niveau où j'étais avant d'être incarcéré. Mais finalement, ce n'est pas le plus important. Avant que la nuit tombe, je veux arriver là-bas, au pied des dunes. Ça fait du bien de sentir la vie comme ça, dans mes jambes, dans ma poitrine, sur mon visage. Dans ma tête.

Plus personne ne m'empêchera jamais de courir.

Juillet 2008

Daniel Legrand PÈRE

Moi, je ne veux plus trop y penser.

Je ne veux plus y penser, mais ça finit toujours par revenir sur le tapis. On voit un reportage sur les prisons, un taxi dans la rue, et ça y est, on repense à Outreau. On ne peut pas oublier, ce n'est pas possible.

Mais je n'ai pas de haine. Lui, il n'a rien compris, c'est tout. Elle... C'est une pauvre femme, comme dit Nadine. Ça me servirait à quoi, de toute façon, d'avoir la haine ? Ça ne me rendra pas les trente mois de ma vie qu'ils m'ont volés, qu'ils ont volés à Peggy, à Daisy, à Frédéric, à Grégory, à ma femme. Et bien sûr, à Daniel.

Quand je le regarde, Daniel, j'ai le cœur qui gonfle. Je ne sais peut-être pas le lui dire, mais je le respecte. Énormément. Avec tout ce qu'il a vécu... Je suis fier de lui. Et quand, dans ses lettres en prison, il m'écrivait qu'il était fier de moi... j'en avais la gorge nouée. Pour ça aussi, il fallait que je sois à la hauteur.

Aujourd'hui, mon gamin, c'est ma seule inquiétude. Je demande juste à ce qu'il soit heureux.

Normalement, je prends ma retraite l'année prochaine. Je suis fatigué. Et puis, je voudrais faire ce que j'ai dit, quand j'étais en prison : « Une fois dehors, ce coup-ci, je profiterai de la vie. » Ça continue de bien faire rire Nadine.

Elle a retrouvé sa santé, même si elle a des angoisses qu'elle n'avait pas avant. Elle me dit toujours : « Je me demande comment on est encore en vie ! » Jamais je n'oublierai ce qu'elle a fait pour nous. Aujourd'hui, elle aimerait devenir visiteuse de prison. C'est vrai que, là-bas, j'en ai vu, des malheureux.

Avec Outreau, je me suis rendu compte qu'on n'était pas grand-chose sur cette terre. Qu'une catastrophe comme ça, ça pouvait arriver à n'importe qui, du jour au lendemain. Et puis aussi que je n'étais pas aussi dur que je le croyais : des larmes, j'en ai versé quelques-unes.

Peut-être que, toute cette affaire, ça m'a rendu plus humain. On va dire que c'est déjà ça...

Juillet 2008

Avec tous nos remerciements à maître Julien Delarue, avocat de Daniel Legrand père au procès de Saint-Omer, en mai 2004, puis avocat de Daniel Legrand fils, au procès de Paris, en novembre 2005.

Sous son conseil, le père puis le fils ont été acquittés.

Imprimé en France
FROC031146100620
24226FR00028B/492

9 782234 061484